W9-BSF-168

Aspectos de la literatura española

Aspectos de la literatura española

Leo Barrow *The University of Arizona*

Charles Olstad *The University of Arizona*

Xerox College Publishing

Lexington, Massachusetts • Toronto

Dedicamos este libro a nuestro abogado
y amigo, Jay Grant.

CONSULTING EDITOR

Joseph Schraibman
Washington University, St. Louis

Federico García Lorca
OBRAS COMPLETAS and *Selected Poems*

Library of Congress Catalog Card Number: 73-168712
ISBN: 0-536-00668-7 Printed in the United States of America.

Prefacio

Deseamos expresar nuestra gratitud a las personas que han autorizado la inclusión de sus obras en este libro. Agradecemos la fina y generosa cooperación de Vicente Aleixandre, Manuel Álvarez de Lama, Julio Caro Baroja, Jorge Guillén, Francisco H.-Pinzón Jiménez, María Pérez Galdós y «New Dircctions Publishing Corporation.»

También damos las gracias por su apreciable colaboración a las profesoras Margarita Palanco Johnson, española, y Gloria Elsa Hamill, peruana, así como al profesor Adalberto M. Guerrero, méxico-americano; han leído el manuscrito en su totalidad y han hecho muy valiosas sugerencias para su mejoramiento. Por otra parte agradecemos al profesor Jim Callanan de la Universidad de New Hampshire su estudio esmerado del manuscrito y sus valiosos comentarios.

Finalmente, deseamos hacer patente nuestra gratitud por el

v

sincero y entusiasta interés que mostraron nuestros colegas de la Universidad de Arizona a través de la extendida elaboración del libro que ahora ofrecemos al público.

LEO BARROW
CHARLES OLSTAD

Índice

Introducción general

Con este esquema de diez aspectos de la creación de una obra literaria no queremos «simplificar» el estudio de la prosa y del teatro español. De la misma manera, los diez pasos para el estudio de un poema tampoco representan una abreviación del trabajo analítico. La literatura es infinitamente rica; una sola obra puede ser sumamente compleja. Lo que queremos hacer, pues, es ampliar el estudio de la literatura española, acercándonos a ella con un sistema analítico.

Nuestro método es un tanto arbitrario. Lo confesamos. El que haya justamente diez aspectos de la creación de una novela, un cuento o una pieza dramática no deja de ser una arbitrariedad patente. Reconocemos que no son siempre necesarios los mismos diez pasos para la comprensión de un poema lírico. De todos modos, nuestro sistema es un método de acercarnos a la obra literaria. Estamos convencidos de que puede ayudar lo suficiente al que principia en serio sus estudios literarios, aportándole varias ventajas.

Nuestro punto de partida tiene dos facetas fundamentales: (1) Partiendo de una concepción amplia de la literatura y enmendando ligeramente la frase de Protágoras afirmamos que, «La literatura es la medida de todos los hombres y de todas las cosas, tanto los posibles como los imposibles.» Así es que no nos limitamos ni a escuelas literarias ni a críticas de ninguna clase. (2) Consideramos que el escritor, al crear su obra, maneja con mucha libertad ciertos aspectos básicos de la «materia prima». Conviene, pues, que el estudiante analice la obra desde el punto de vista del creador, observando cómo ha manejado los distintos aspectos, por qué lo ha hecho así, y qué ha conseguido. El lector debe ponerse en el lugar del autor y enfrentarse con los mismos problemas que éste, analizando separadamente lo que ha hecho el escritor con cada uno de los elementos componentes de su obra. Claro está que el creador literario maneja estos elementos armoniosa y sintéticamente, pero el estudiante debe separar y analizar cada elemento aisladamente, desmontando la obra para así comprender más a fondo el proceder creativo del artista literario. Una vez analizados los distintos aspectos, el estudiante puede discutir la interacción que existe entre cada uno de éstos. Es una cosa, pues, saborear la paella, y otra saber los diversos ingredientes y las especias que ha empleado el cocinero para prepararla. Saboreada la paella, queremos que el estudiante se ponga en el lugar del cocinero. En el manejo de todos estos aspectos el creador literario es más o menos un dios todopoderoso que obra libre y a veces caprichosamente. Si existen limitaciones y reglas son las que él se ha impuesto a sí mismo o ha aceptado voluntariamente de otros.

Una de las principales ventajas de este método es evitar que el estudiante insista exageradamente en un solo aspecto de la obra, olvidándose de los demás. Como el mendigo a caballo que lo galopa hasta la muerte, algunos estudiantes se limitan a hablar sobre el mensaje del autor, sobre lo que éste quiso decir, y se limitan a escribir extensos párrafos al respecto. Otros hablan de la psicología del protagonista y llegan a ser verdaderos psicólogos de la literatura. Nuestro concepto amplio de la obra literaria evita estas y otras limitaciones que a veces llegan al absurdo.

Nuestro sistema evita también la complacencia que sienten algunos estudiantes de clasificar varias obras dentro de una sola casilla de la historia literaria. Pueden llegar a declarar por ejemplo que, *Juanita la larga, La barraca* y *Peñas arriba* son todas representativas del «realismo», sugiriendo que son copias fieles y más o menos equivalentes de una misma realidad. No negamos la validez ni la utilidad de los términos como «realismo», «modernismo», «generación del 98», etc. Pero estos términos tienen sentido después del estudio de la obra, y no antes. Manejados con falta de criterio o con ligereza, pueden estorbar el estudio detenido y cuidadoso.

Otra ventaja más práctica o de interés más inmediato es que orienta al estudiante tanto en sus lecciones diarias como en sus exámenes. En cada caso tiene ya hecho un bosquejo, un esquema, de los temas de discusión o de las preguntas posibles, evitándose así sorpresas, trampas y ambigüedades que en nada contribuyen al desarrollo intelectual del estudiante. Al preparar su tarea no tiene que adivinar lo que el profesor piensa ver en la obra; se guía por preguntas y sugerencias concretas, conocidas de antemano. Al participar en la discusión oral durante la hora de clase no se limita a emitir átomos de opiniones, gustos, ideas y atisbos, esperando coincidir con el parecer del profesor; contribuye lo que tiene bien pensado, siempre en relación con el mismo sistema que siguen los demás estudiantes y el profesor. Y al prepararse para un examen no le entra el consabido pánico de «¿qué va a preguntar?» Las posibilidades son limitadas, su preparación diaria ha sido sistemática; puede proseguir con toda tranquilidad en tales circunstancias.

La mayoría de las explicaciones que damos en este libro vienen documentadas en las antologías generales más conocidas en las clases norteamericanas. Nuestro propósito es doble: (1) Los textos citados y los ejemplos aducidos son siempre los más conocidos. Son los que el profesor ha estudiado regularmente y que tiene más a mano. También son los que el estudiante conocerá primero al comenzar sus estudios. Hemos querido proporcionar una base sólida y profunda sin pretender ser exhaustivos. (2) Nuestras explicaciones vienen casi siempre documentadas. Así hemos querido servir de ejemplo tanto para el estudiante como para el profesor. La documentación concreta no sólo facilita la comprensión de la obra, sino que también dificulta la generalización fácil pero infundada, pecado demasiado frecuente en nuestras aulas.

Finalmente creemos que nuestro método es más efectivo tanto para el alumno como para el profesor, porque proporciona a este último mayor libertad al no tener que inclinar la cabeza sobre los apuntes y de este modo poder mirar cara a cara a los estudiantes. Por su parte, el alumno también goza de más libertad ya que al no preocuparse de tomar notas, puede muy bien seguir el hilo de la conversación y participar en ella. La impresión que recibe un estudiante al leer una obra por vez primera a veces despierta nuevas ideas y perspectivas que pueden ser muy interesantes para la clase y para el profesor.

Advertencias misceláneas

Hemos escrito nuestro libro en español, suponiendo que el estudiante de la literatura española ya posee un buen conocimiento del idioma. Por otro lado, solemos dar las clases en español, tanto las conferencias y discusiones orales como los exámenes éscritos. Así el alumno perfecciona el idioma en general, y se familiariza con el vocabulario literario y crítico. Además interviene con mayor frecuencia en conversaciones más interesantes y útiles que en las clases de «conversación».

Nuestro estudio técnico del vérso español no pretende ser completo, ni mucho menos. Hemos procurado dar al estudiante los datos fundamentales sin entrar en excepciones, variaciones y casos exóticos. Los ejemplos citados corresponden a lo que el estudiante seguramente verá en un curso de introducción a la literatura española.

Tampoco la lista de tropos es completa. El término «tropo», es algo arbitrario. Nosotros lo empleamos para denominar cualquiera de las figuras o de los recursos retóricos más frecuentes en la literatura. Nuestra lista incluye desde el símbolo y la metáfora en toda su variedad hasta el quiasma, término técnico de definición exacta.

El «Prontuario», como las dos secciones que lo preceden, es asimismo sólo una orientación tentativa y parcial hacia un estudio cada vez más profundo y detallado. El estudiante serio que piensa continuar sus estudios literarios puede y debe consultar las obras mencionadas para enterarse de los innumerables rumbos que puede tomar una investigación amplia.

Nuestro método de citar

Con pocas excepciones los textos citados o aludidos en este libro vienen de las antologías generales de la literatura española publicadas en los Estados Unidos de más uso en las clases universitarias. En cada caso, después de la cita, damos entre paréntesis el libro y la página de la cita, empleando las siguientes abreviaturas:

B   BARRETT, Linton Lomas, ed. *Five Centuries of Spanish Literature: From the Cid Through the Golden Age.* New York: Dodd, Mead and Co., 1962, 352 págs.

delR-1   RÍO, Ángel del, y Río, Amelia A. del, eds. *Antología general de la literatura española.* Segunda edición. New York: Holt, Rinehart and Winston, Inc., 1960. Tomo primero, 845 págs.

delR-2   RÍO, Ángel del, y Río, Amelia A. del, eds. *Antología general de la literatura española.* Segunda edición. New York: Holt, Rinehart and Winston, Inc., 1960. Tomo segundo, 826 págs.

M-1   MARÍN, Diego, ed. *Literatura española.* New York, Toronto, and London: Holt, Rinehart and Winston, 1968. Tomo primero, 508 págs.

M-2   MARÍN, Diego, ed. *Literatura española.* New York, Toronto, and London: Holt, Rinehart and Winston, 1968. Tomo segundo, 606 págs.

P-1   PATTISON, Walter T., ed. *Representative Spanish Authors.* Segunda edición. New York: Oxford University Press, 1958. Tomo primero, 308 págs.

P-2   PATTISON, Walter T., ed. *Representative Spanish Authors.* Segunda edición, New York: Oxford University Press, 1963. Tomo segundo, 327 págs.

PN-1   PATT, Beatrice P., and Nozick, Martin, eds. *Spanish Literature: 1700-1900.* New York: Dodd, Mead and Co., 1965, 463 págs.

PN-2   PATT, Beatrice P., and Nozick, Martin, eds. *The Generation of 1898 and After.* New York: Dodd, Mead and Co., 1960, 427 págs.

En cuanto a los usos posibles del libro queremos hacer algunas sugerencias. Primeramente no es un libro que se lea, que se estudie o se aprenda de una vez. Es más bien una obra de consulta a la cual el estudiante debe recurrir muy a menudo cuando tenga dificultades o busque ejemplos concretos. Un buen lugar para empezar en el libro son los esquemas que hemos puesto al principio de los diez aspectos y de los diez pasos. La aplicación de éstos a una obra literaria o a un poema sirve para orientar al estudiante y familiarizarle con el método.

Una vez que el estudiante esté familiarizado con el método hay muchas posibilidades. El profesor puede basar la discusión de la clase en los diez aspectos o diez pasos, los que al mismo tiempo pueden servirle como base de su conferencia. El estudiante a su vez tendrá una orientación de antemano. Otra posibilidad es dar a cada persona un aspecto o un paso para preparar y comentar, reservando suficiente tiempo para las preguntas y comentarios de la clase y del profesor. También las preguntas al final de cada aspecto pueden servir como punto de partida para una discusión amplia y profunda de la obra.

Aunque todo esto es básico el profesor reconocerá que no le es posible estudiar detalladamente todos los aspectos de un cuento, por ejemplo, en una hora. Muchas veces conviene señalar los aspectos y los sub-aspectos más importantes de una obra para un estudio más detallado y profundo y sólo tratar de los otros superficialmente.

Esperamos haber contribuido con nuestro libro al almacén cada vez más rico de ayudas que el estudiante de la literatura española tiene a mano. Abundan ya los textos con sus notas, introducciones, cuestionarios y léxicos. Hay antologías generales y parciales, arregladas por género y por época. Hay historias literarias de toda clase, estudios intensos de increíble variedad y bibliografías extensas para localizar cualquier materia. Nuestro intento, no sabemos si modesto o atrevido, ha sido el de orientar en parte los primeros pasos del alumno, para que al continuar sus estudios pueda aprovechar con mayor eficacia la inagotable riqueza de la literatura española.

Diez aspectos de la creación literaria

1. La trama
   a. Contenido
      1) Acontecimientos observados
      2) Acontecimientos imaginados (verosímiles o inverosímiles)
      3) Acontecimientos históricos
      4) Acontecimientos literarios (de la literatura formal y de la tradición oral)
   b. Tema
      1) Temas universales
      2) Temas españoles
      3) Temas de épocas y de escuelas literarias
      4) Temas de autores particulares
   c. Técnica
      1) Fragmentación
      2) La casualidad
      3) El equívoco
      4) Adumbración del futuro
      5) Narración
      6) Descripción
      7) Dramatización
2. Los seres humanos
   a. Selección
      1) Seres observados
      2) Seres imaginados
      3) Combinación de seres observados e imaginados
      4) Número y origen de los personajes
   b. Presentación
      1) Afirmación o justificación

      2)   Presentación directa (dramática) o presentación indirecta

      3)   Revelación o desarrollo

      4)   Desarrollo o revelación por sucesos y circunstancias, o por el contacto humano, o por contraste humano.

3. El tiempo
   a. Extensión
   b. Marcha
      1) Rapidez o morosidad de la marcha
      2) Dirección de la marcha
      3) Fragmentación de la marcha
   c. Tiempo interior
4. El espacio
   a. Limitación del lugar
   b. Cambios de lugar
   c. Espacio concreto (los cinco sentidos)
   d. Paisaje
5. Punto de vista
   a. Narraciones en tercera persona
      1) Omnisciencia editorial
      2) Humilde narrador
      3) Omnisciencia selectiva
      4) Omnisciencia neutra
   b. Narraciones en primera persona
      1) Yo-testigo
      2) Yo-protagonista
      3) Yoísmo
      4) El triángulo
   c. Punto de vista individual
   d. Perspectivismo
6. Proceder estilístico
   a. Léxico
   b. Sintaxis
   c. Nivel retórico
   d. Organización
7. Lo axiológico
   a. Apoyo de valores establecidos
   b. Ataque o duda sobre valores establecidos
   c. Valores explotados artísticamente
   d. Negación de valores establecidos

La trama

Contenido

En cada obra de cierta extensión tiene que haber una trama. Algo tiene que pasar. En algunas obras la trama posee muy poca importancia, pero siempre existe. Algo siempre acontece. Cuando el creador literario se pone a escoger los acontecimientos de su obra, tiene muchas posibilidades. Puede valerse de algunos acontecimientos vistos, observados, y a veces experimentados por él mismo. La historia, tanto la escrita como la oral, le brinda muchos acontecimientos. Puede también, si quiere, imaginarse los hechos. Hay todavía una tercera posibilidad. El creador literario puede combinar los sucesos vistos con los imaginados y tal vez esta combinación sea la más frecuente.

El juglar de Medinaceli que contó las hazañas del Cid se basó en unos sucesos vistos y tal vez experimentados por él mismo, unos sucesos bien históricos. Por eso, este poema épico es tan realista y no contiene tanta fantasía como *La canción de Rolando, La odisea, Los lusíadas*, por ejemplo.

En la generación del 98 muchos autores van narrando sus propias experiencias. Muchos de los acontecimientos que leemos en las novelas de Pío Baroja provienen de sus propias experiencias como estudiante de medicina y como médico. Un buen ejemplo es el primer episodio de *El árbol de la ciencia*, cuando los chicos empiezan la carrera en la escuela de medicina. «Serían las diez de la mañana de un día de octubre. En el patio de la Escuela de Arquitectura, grupos de estudiantes esperaban a que se abriera la clase.

De la puerta de la calle de los Estudios, que daba a este patio, iban entrando muchachos jóvenes que, al encontrarse reunidos, se saludaban, reían y hablaban.» (PN-2, 87)

La experiencia propia en muchas obras literarias es, «el trampolín de la realidad», según las palabras de Baroja y es la base de la acción que narra el autor.

El Duque de Rivas, como casi todos los románticos, buscó en la historia y en las tradiciones de su país los acontecimientos que forman la base de su obra. «Un castellano leal,» uno de sus 18 *Romances históricos*, se inspira en los siguientes hechos históricos: Un francés, el Duque de Borbón, ayudó al español Carlos Quinto, en la batalla de Pavía en 1525. Por lo tanto se consideró traidor al propio rey francés, quien había sido llevado preso por los españoles. Así, el eje temático es la lealtad al rey. La forma del romance es también tradicional y de hecho sirvió de vehículo para expresar muchos episodios de la historia española. Los adornos poéticos y los gestos dramáticos, claro está, pertenecen a la creación literaria del Duque de Rivas.

Entre los miembros de la generación del 98, Azorín es notable por su manejo de acontecimientos literarios del pasado. Esto se explica fácilmente dada su preocupación artística por la fusión de los tres tiempos: pasado, presente y futuro. Unos cuatro sucesos sacados directamente de *La Celestina* forman el núcleo narrativo de «Las nubes.»

Calisto y Melibea se casaron — como sabrá el lector, si ha leído *La Celestina* — a pocos días de ser descubiertas las rebozadas entrevistas que tenían en el jardín. Se enamoró Calisto de la que después había de ser su mujer un día que entró en la huerta de Melibea persiguiendo un halcón. (P-2, 486) (M-2, 225)   5

Lo que hace Azorín con estos acontecimientos es suyo y original, pero su bien conocido origen muestra claramente que la misma literatura es una fuente casi inagotable de inspiraciones narrativas.

Muchas veces los acontecimientos vienen de la literatura popular, de las leyendas, de los cuentos de hadas y hasta de los mismos romances. Gustavo Adolfo Bécquer explota este tipo de la realidad. En cambio Francisco de Quevedo combina tradiciones grecolatinas (un viaje al infierno) con elementos grotescos y hasta escatológicos para exponer los vicios de su sociedad. En *Las zahurdas de Plutón* castiga sin piedad la falsa hidalguía, la cual no es hija de buenas obras.

> Cuando veo dos hombres dando voces en un alto, muy bien vestidos con calzas atacadas. El uno con capa y gorra, puños como cuellos y cuellos como calzas. El otro traía valones y un pergamino en las manos. Y a cada palabra que hablaban, se hundían siete u ocho mil diablos de risa y ellos   5
> se enojaban más. Lleguéme más cerca para oírlos, y oí al del pergamino, que, a la cuenta, era hidalgo, que decía:
> — Pues si mi padre se decía tal cual y soy nieto de Esteban tales y cuales, y ha habido en mi linaje trece capitanes valerosísimos y de parte de mi madre doña Rodriga descien-   10
> do de cinco catedráticos, los más doctos del mundo, ¿cómo me puedo haber condenado? Y tengo mi ejecutoria y soy libre de todo y no debo pagar pecho.
> — Pues pagad espalda — dijo un diablo.
> Y dióle luego cuatro palos en ellas, que le derribó de la   15
> cuesta. Y luego le dijo:
> — Acabaos de desengañar, que el que desciende del Cid, de Bernardo y de Godofredo, y no es como ellos, sino vicioso como vos, ese tal más destruye el linaje que lo hereda. Toda la sangre, hidalguillo, es colorada. Parecedlo en las costum-   20
> bres y entonces creeré que descendéis del docto, cuando lo fuéredes o procuráredes serlo, y si no, vuestra nobleza será mentira breve en cuanto durare la vida. (delR-1, 665)

Otras veces los acontecimientos de un sueño sirven para revelar una faceta de la personalidad o de los problemas subconscientes de algunos personajes. En *Torquemada en la cruz* el sueño de Fidela Cruz revela mucho sobre la diferencia de carácter que existe entre ella y Francisco Torquemada y bastante sobre el conflicto principal de la novela.

> — Don Francisco, anoche soñé que venía usted a vernos en coche, en coche propio, como debe tenerlo un hombre de

posibles. Vea usted cómo los sueños no son disparates. La
realidad es la que no da pie con bola, en la mayoría de los
casos . . . Pues sí, sentimos el estrépito de las ruedas, salí al   5
balcón, y me veo a mi don Francisco bajar del *landau*, el
lacayo en la portezuela, sombrero en mano . . .
  — ¡Ay, qué gracia! . . .
  — Dijo usted al lacayo no sé qué . . ., con ese tonillo
brusco que suele usar . . ., y subió. No acababa nunca de   10
subir. Yo me asomé a la escalera, y le vi sube que te sube, sin
llegar nunca, pues los escalones aumentaban a cientos, a
miles, y aquello no concluía. Escalones, siempre escalones . . . Y usted sudaba la gota gorda . . . Ya, por último,
subía encorvadito, muy encorvadito, sin poder con su   15
cuerpo . . ., y yo le daba ánimos. Se me ocurrió bajar, y el
caso es que bajaba, bajaba sin poder llegar hasta usted, pues
la escalera se aumentaba para mí bajando como para usted
subiendo . . . (PN-1, 294-5)

El mundo de los sueños es un mundo aparte, alejado del que
nosotros consideramos el verdadero y el cotidiano. El autor que
maneja los acontecimientos del mundo onírico se encuentra libre de
las limitaciones de la verosimilitud. El mundo de la locura, en
cambio, ofrece posibilidades bien distintas. Si bien es cierto que el
afligido loco vive en una realidad que no es la nuestra, que vive,
digamos, su sueño, sin embargo se encuentra también dentro de la
realidad cotidiana. Sus locuras, hechos provocados por su sueño,
tienen consecuencias inesperadas porque el loco no puede deshacerse
totalmente de las exigencias de la naturaleza.

El creador literario que maneja los elementos de la locura crea,
entonces, un mundo de dos facetas: una para el loco, otra para los
demás. El ejemplo máximo en la literatura española es, sin duda, el
Quijote. Piénsese en cualquiera de las muchas aventuras del hidalgo
loco, teniendo en cuenta cómo Cervantes ha podido manipular este
mundo de doble faceta. El pobre de don Quijote emprende hazañas
de gran magnitud, a su modo de ver, pero las consecuencias innobles
de sus esfuerzos muy poco tienen que ver con la nobleza de sus
intentos. Así controla Cervantes su mundo de locura. El lector
atento verá otros ejemplos distintos en otras obras.

Creemos obvio que no existe una distinción precisa entre los
acontecimientos observados y los acontecimientos imaginados. Lo
que se da en la mayoría de los casos es una combinación de los dos.
Mucho de lo que hace el ingenioso hidalgo de la Mancha proviene de

la imaginación de Cervantes. No habría visto Cervantes a un caballero atacar unos molinos de viento, unos rebaños de ovejas, o a un pobre barbero, pero seguramente habría visto los molinos, los rebaños de ovejas y a los barberos yendo de un pueblecito a otro. Es más, la mente humana no es una máquina fotográfica que capta todo lo que ve sin añadir ni quitar nada. La mente humana tiene una tendencia creadora; añade, quita y cambia.

Hemos notado una dicotomía muy clara entre los acontecimientos vitales, importantes dentro de la obra misma, y los acontecimientos simbólicos. Parece que todos los acontecimientos en obras como el *Cid* y *Lazarillo de Tormes* son vitales. Seguramente todos los chistes crueles narrados por el autor anónimo del *Lazarillo de Tormes* son vitales para el pobre Lazarillo y no podemos negar que cuando el ciego aplasta las narices contra el poste es un hecho vital en su vida. En cambio será difícil encontrar el valor o significado de este hecho fuera de la obra.

Ahora bien en un episodio de *Pepita Jiménez* de Juan Valera, el joven protagonista tiene que ir montado en una mula y por eso sufre una gran humillación. El resultado vital es que aprende a cabalgar bien y después monta un caballo muy brioso. (P-2, 403, 406, 409, 410) Pero nosotros los lectores que vivimos en un mundo de símbolos le atribuimos a este acontecimiento otro valor simbólico también. La mula, para nosotros claro está, es simbólico del animal o del hombre que no tiene sexo. El caballo, en cambio, es símbolo del animal o del hombre que sí lo tiene. El caballo simboliza la gracia y la fuerza varonil y la mula simboliza la falta de estas cualidades. La humillación del joven, vital, sentida profundamente por él dentro del mundo de la obra, adquiere mayores fuerzas, simbólicas, para nosotros que vivimos fuera del mundo de la obra. Nos enteramos de las sugerencias del autor por medio de su manipulación de los símbolos.

Tema

La trama puede considerarse como el conjunto de los acontecimientos y las técnicas que el autor ha manejado para colocarlos y ligarlos dentro de su obra. El tema, en cambio, es lo que da unidad, valor y dirección a este conjunto de sucesos bastante diversos entre sí. Esta definición, un tanto arbitraria y demasiado sencilla para un problema tan complejo, nos viene como el anillo al dedo para nuestro método pedagógico. Hay otra diferencia entre trama y tema que nos servirá para comprender la función de los dos en la obra literaria. La trama, como conjunto total de acontecimientos colocados y ligados por el autor, se limita a una obra. Es única y total; sin embargo, hemos visto que otro autor puede pedir prestados ciertos acontecimientos, produciendo así una obra también total pero diferente. El tema, dando unidad, valor y dirección a una obra, no se limita a ésta, y puede ir más allá. A veces llega a ser una constante en toda la literatura de una nación e incluso en la literatura universal.

Una obra puede tener dos o tres temas. Es el caso del *Poema del Cid*. Realmente esta obra tiene muchos temas como la honra, la lealtad al rey y el sentimiento democrático visto en el dicho, «cada quien es hijo de sus obras» Este último tiene una larga tradición literaria antes de aparecer en la épica. Se encuentra en la Biblia, en las fábulas de Esopo, y en *El libro de los ejemplos* de Juan Manuel. En el *Poema del Cid* da unidad a la obra desde el principio hasta el fin. Rodrigo Díaz de Vivar es acusado falsamente y desterrado, teniendo que probar su valor, su lealtad al rey y su nobleza por medio de sus obras. Cuando conquista, lleva a cabo una hazaña, muestra su valor personal, cumple con los cristianos y los moros que le ayudan, prueba su lealtad e integridad mandando la quinta parte del botín al rey, todas estas acciones vienen a proclamar lo que es y a acrecentar el merecido respeto de todos. Mientras tanto los hechos de cobardía y de traición de los Infantes de Carrión muestran claramente su inferioridad a pesar de su noble ascendencia y esclarecido linaje. La culminación de estas hazañas es la derrota de los Infantes de Carrión ante la presencia del rey Alfonso VI. El único propósito de estas hazañas, propósito que da dirección y unidad a toda la obra es la reconciliación completa con el rey. Con esta reconciliación, lograda con la derrota de los Infantes, y con la boda de sus hijas, vemos que el valor máximo de la obra, el valor que triunfa, es la nobleza que proviene de las buenas obras y no la que heredan los Infantes de sus nobles antepasados.

Después, este mismo tema aparece en muchas obras españolas. Segismundo, en *La vida es sueño,* no sabe distinguir entre el mundo real y el mundo de los sueños, pero llega a una conclusión, clave de la obra, que lo que importa es obrar bien. Indudablemente don Quijote es «hijo de sus obras»; su fama viene de ellas y le conocemos por ellas. La repetición sentenciosa de esta observación filosófica da cierta unidad y dirección a una obra bastante difusa y compleja.

Los temas pueden dividirse en cuatro grupos principales: universales, nacionales, epocales, y particulares. Muchos de los universales se encuentran en fuentes muy antiguas como la Biblia, las obras de los griegos y romanos, y de las tradiciones orientales. La envidia, tema universal, tiene una de sus primeras manifestaciones literarias en la Biblia, en la historia de Caín y Ábel. Este tema, en manos de escritores españoles, se modifica bastante. En *Ábel Sánchez*, por ejemplo, la envidia se mezcla con la búsqueda de la inmortalidad, tema particular de Unamuno. Después de la Guerra Civil en España, en que tantos hermanos se mataron, el tema adquiere significados y sentimientos íntimamente castizos.

Tal vez el tema nacional de España, por excelencia, sea la honra. Es el móvil más fuerte de la mayoría de los dramas del Siglo de Oro y en cierto sentido da unidad, valor y dirección a toda la obra teatral del período. Pero transciende la época y aparece en muchas obras maestras como en *El Cid, La Celestina, Lazarillo de Tormes, Don Álvaro*, casi todos los dramas románticos, *La Regenta* y finalmente en *El curandero de su honra*, tratamiento irónico del tema por Ramón Pérez de Ayala.

Como la tendencia natural de un tema es la de transcender la literatura de escritores individuales, épocas y hasta fronteras nacionales, es difícil escoger uno típico de una época y de una escuela literaria. Hay, sin embargo, ciertos temas que pertenecen o tienen una ligación o identificación con un período o escuela. Esto no quiere decir que no los transcienden pero sí que tienen raíces muy profundas en el suelo de ciertos grupos de escritores y ciertas corrientes literarias. El amor platónico, tan puro y tan profundo, es el tema principal y predilecto del romanticismo español y como tal da unidad, valor y dirección a casi toda la literatura de la escuela. Basta mencionar algunos títulos para mostrar la singular importancia de este tema: *Don Álvaro, Los amantes de Teruel, Don Juan Tenorio*. Algunos pueden argüir que el tema central de *Don Álvaro* no es el amor sino *La fuerza del sino*, subtítulo del libro. De hecho *Don Álvaro* tiene mala suerte en todo; parece que el destino le es siempre adverso. Pero lo que da unidad y dirección a esta adversidad, dispersa por la obra, es su amor por Leonor. Sin este amor, la sombra negra que le persigue siempre no tendría ni sentido ni valor.

El tema del tiempo es sin duda un tema universal, pero Azorín ha trabajado tanto este tema, siempre de un modo original e íntimo, que lo ha hecho suyo. Azorín procura unir pasado, presente, y futuro, procura detener el tiempo, hacerlo estático, y encontrar cierta inmortalidad en el momento, en el mismo instante. Esta preocupación constante con el tiempo presta una nota unificadora a su prosa y la carga de valor emotivo.

Técnica

Ya que el creador literario no puede contarlo todo, tiene que fragmentar los acontecimientos. Tiene que incluir algunos en su trama y excluir otros. Todo este proceso de selección, de subordinación y de fragmentación debe ser bien difícil pero importantísimo para la creación literaria. Siempre debemos preguntar, « ¿Por qué ha contado este episodio y por qué ha dejado de contar otro? » El autor tiene que medir bien la selección de los acontecimientos con sus propósitos artísticos y extra-artísticos. El juglar de Medinaceli que compuso el *Cantar del mío Cid* incluyó algunos acontecimientos por su importancia histórica, la reconquista de Valencia por ejemplo. Pero este juglar sabía que estaba forjando un héroe nacional, que estaba dándole los atributos principales del hombre español. Incluyó entonces, aunque tiene poco valor histórico, la salida de Vivar para mostrar el dolor que siente el Cid, prototipo español, al despedirse de su patria chica.

Nos muestra otra faceta del ser español cuando nos cuenta cómo el Cid empeñó dos cofres llenos de arena a dos judíos. Es un truco bastante ingenioso, sea histórico o no, y desde entonces el ingenio ha sido atribuido al carácter español. La despedida del Cid de su mujer y de sus hijas muestra el profundo amor que siente el español por la familia. Así casi todos los actos del Cid, todos los acontecimientos narrados van subrayando uno u otro atributo del hombre español. Tanto es así que podemos afirmar que no hay acontecimiento narrado que no señale un atributo correspondiente.

En otras clases de literatura hay distintos grados de fragmentación. En la novela naturalista, donde el autor tiene que justificar las cualidades de sus personajes por su herencia y por su medio ambiente y no basta sólo nombrar sus cualidades, hay mucho menos fragmentación. Por esta razón, las novelas naturalistas no suelen encontrar lugar en las antologías. Parece que Clarín necesitó las mil páginas de su novela *La Regenta* para mostrar el tedio que siente doña Ana de Ozores y toda la población de Vetusta. Este tedio es el motivo de muchos de los actos de doña Ana y de otros personajes de la obra y los explica.

En ciertos casos los acontecimientos están al servicio de una tesis o de una idea y esta tesis tiene mucho que ver con la fragmentación. La tesis puede ser impuesta por una escuela literaria. En «La cencerrada» de Vicente Blasco Ibáñez vemos que todo lo que pasa, sostiene y apoya la tesis naturalista de que el hombre es un animal que lucha por sobrevivir. En todo lo que sucede en el cuento vemos la gula de este hombre, su avaricia, su crueldad y su falta de virtudes superiores. (PN-1, 240)

Ahora bien, casi todas las obras literarias tienen su idea y a veces su tesis; el lenguaje se emplea, entre otras cosas, para comunicar ideas. Pero muchos estudiantes y algunos profesores dan una importancia exagerada a esta idea o tesis. Creen que hasta sólo descifrar la idea para comprender y apreciar toda la obra. Se quedan muy satisfechos si pueden resumir en pocas palabras lo que creen que dijo el autor en toda una novela.

Desde luego, es posible expresar así la idea fundamental de muchas obras literarias. De la novela *Pepita Jiménez* de Juan Valera, por ejemplo, podemos decir que la idea es: hay muchas maneras de servir a Dios. Pero el valor estético de la obra se encuentra en la expresión de este concepto en la concreción de la idea en dos seres humanos y su aventura sentimental.

El manejo de la casualidad facilita bastante la fragmentación de una trama. Los historiadores de la literatura afirman que la casualidad es usada por los clásicos y abusada por los románticos. Es verdad, pero lo que nos parece más importante es el hecho de que todos los creadores literarios manejan este elemento. La historia tiene su propia casualidad y en las obras de base histórica el autor no tiene la necesidad de inventarla. En cambio, en las obras de imaginación esta invención es precisa. El manejo de la casualidad tan importante varía mucho de autor en autor y los adjetivos que lo describen son muchos: hábil, abierto, velado, absurdo.

En muchas obras el autor se vale de la casualidad para juntar a dos personajes. En la *Celestina* Calixto, buscando un halcón que se escapó, salta una tapia y encuentra por casualidad a Melibea. (B, 107) (delR-1, 208) (P-1, 65) Es un empleo bastante abierto y franco de la casualidad. Los acontecimientos en las novelas picarescas y caballerescas son también sucesos imprevistos y casuales, y los autores no tratan de justificarlos. *Lazarillo de Tormes* y el mismo *Quijote* son buenos ejemplos. El manejo de la casualidad llega a ser bastante exagerado y hasta absurdo en el romanticismo. Gran parte de la trama en *El trovador* de García Gutiérrez se basa en un error que

hizo Azucena por casualidad. En un momento de furor desespe-
rado quema a su propio hijo en vez de quemar al hijo del conde.
(PN-1, 131-2) *Don Álvaro* es el ejemplo clásico del ebuso de la
casualidad, en el romanticismo. Bastan algunos ejemplos. Estando por
casualidad en un aguaducho a la entrada del viejo puente de barcas
de Triana (barrio popular de Sevilla) el canónigo se entera por
casualidad de las intenciones de don Álvaro y avisa al Marqués, el
padre de Leonor. Descubierto don Álvaro en el acto de raptar a doña
Leonor, él espera resignadamente a que.el Marqués, le mate. «Tira la
pistola, que al dar en tierra se dispara y hiere al Marqués, que cae
moribundo en los brazos de su hija y de los criados, dando un
alarido.» (P-2, 307) En Veletri don Álvaro, disfrazado, salva la vida
de don Carlos, el hermano de Leonor, cuando éste se encuentra
estafado y atacado por un grupo de tramposos. (P-2, 324-7) Estando
los dos en el mismo regimiento, don Carlos salva la vida de don
Álvaro. (P-2, 329-31) La casualidad une a doña Leonor y don Álvaro
para el desenlace trágico al final; él ingresa en el convento de los
Ángeles y en una gruta cercana doña Leonor hace una vida de
penitente como ermitaña. (P-2, 358-60)

En las obras naturalistas donde la trama casi siempre tiene que ver
con la lucha por la vida y donde el autor procura justificar todos los
acontecimientos por la herencia del personaje y por su medio
ambiente encontramos el manejo de la casualidad. Ya que en la
mayoría de estas obras el hombre es una víctima, víctima de su
herencia y de sus circunstancias, parece que el naturalista necesita la
casualidad para poner al hombre en camino de su destrucción. En
L'assomoir de Émile Zola el carpintero no suele tomar más que unos
vasos de vino, pero un día se distrae, se cae de un techo y se rompe
una pierna. Al encontrarse desocupado se torna borracho, vicioso y
perdido y muere víctima del alcohol. Otra casualidad origina la
destrucción de Tonet en *Cañas y barro* de Vice‸‸ Blasco Ibáñez.
Tonet va a llevar al bebé de Neleta a una iglesia de valencia donde se
abandonan a los niños como a un fardo enojoso. Pero por casualidad
es muy tarde ya y él está muy cansado. Tira el bebé al lago y cuando
por casualidad es descubierto, se pega un tiro. Así Blasco Ibáñez
quería probar la tesis de que Tonet es más débil que Neleta y el tío
Paloma y no debe sobrevivir, pero la casualidad le ayuda bastante.
En un cuento de Blasco Ibáñez, «La cencerrada» vemos que una
sola casualidad determina la caída del tío Sento. Él ha sido un
hombre fuerte y ha dominado a muchas personas, pero ya viejo ha

cometido la flaqueza de casarse con una chica joven y muy guapa. Por eso, según la tesis naturalista, forzosamente tiene que ponerse en el camino de la destrucción. La noche de la boda hay cencerrada; su rival, Desgarrat, y sus cómplices le insultan de una manera bastante violenta, llamándole cornudo, viejo incapaz de cumplir con las obligaciones matrimoniales, etc. Él agarra la escopeta y dispara a ciegas en la oscuridad, pero por mera casualidad mata a su rival, Desgarrat. En la última escena del cuento la policía le lleva a la cárcel. (PN-1, 240)

Muchas veces parece haber una distinción moral en el manejo de la casualidad. Don Álvaro, el tío Sento, el carpintero en *L'assomoir*, todos son llevados a cometer actos malos solamente por casualidad. Estos actos facilitan el desenlace de la trama sin rebajar su carácter moral.

El equívoco tiene un parentesco estrecho con la casualidad; de una manera semejante, puede facilitar bastante el desarrollo de la trama. Si todos los personajes lo supieran todo, sería muy difícil escribir un cuento, una novela o un drama. En las comedias del Siglo de Oro el uso de la capa y el embozo daba lugar a muchos equívocos. Leonor cree que aquel caballero embozado es fulano, pero resulta ser mengano y de ahí surge muchos problemas y complicaciones. *El sombrero de tres picos* nos brinda unos buenos ejemplos de este truco tan sencillo que maneja casi todo creador literario. En una de las primeras escenas del libro el Corregidor, el que lleva el sombrero de tres picos, cree que el Tío Lucas no lo ve ni lo oye cuando corteja a su mujer, doña Frasquita. Pero está equivocado, el Tío Lucas que está subido en una parra lo ve y lo oye todo. Este equívoco le anima en sus aspiraciones pecaminosas con Frasquita. Más tarde, el Tío Lucas encuentra al Corregidor en su cama. Este ha llegado allá por una serie de casualidades bastante divertidas, como la de caerse en una cuba de agua. Se cree engañado el Tío Lucas y este equívoco le hace ir a probar la suerte con la mujer del Corregidor, porque «también la Corregidora es guapa». Cuando el Corregidor llega a su casa, vestido con la ropa de Lucas, la Corregidora finge no reconocerlo y le dice que el Corregidor está en su dormitorio. El Corregidor cree que el Tío Lucas está en su dormitorio, pero todo es una escena teatral arreglada por su mujer. Por el equívoco el Corregidor se pone en ridículo y es castigado por mujeriego y viejo verde.

Otra técnica que da cierta unidad a la trama y prepara psicológicamente al lector es la adumbración del futuro. En «La promesa,» una leyenda de Bécquer, el conde no piensa cumplir la promesa de casamiento dada a Margarita, una chica humilde. Al acampamento llega un romero y canta el *Romance de la mano muerta.* Este romance anuncia los acontecimientos un tanto inverosímiles y macabros que van a seguir.

III

Su hermano, que estaba allí,
estas palabras oía:
— Nos ha deshonrado, dice.
— Me juró que tornaría.
— No te encontrará si torna   5
donde encontrarte solía.
Mientras la infelice muere,
diz que el viento repetía:
¡Malhaya quien en promesas
de hombre fía!   10

IV

Muerta la llevan al soto,
la han enterrado en la hum-
    bría;
por más tierra que le echaban,
la mano no se cubría;
la mano donde un anillo   15
que le dió el conde tenía.
De noche sobre la tumba
diz que el viento repetía:
¡Malhaya quien en promesas
de hombre fía! (PN-1, 218)   20

A nuestro entender hay dos técnicas principales de presentar los hechos de una trama. Puede el autor narrarlos, valiéndose muchas veces del resumen o puede describirlos dramáticamente, valiéndose de mucho diálogo. Vemos en este trozo de Galdós un buen ejemplo de la última tendencia.

De cuantas personas había en la casa, la que expresaba pena más sincera y del corazón era una señora que Tor-quemada no conocía, alta, de cabellos blancos prematuros, pues su rostro cuarentón y todavía fresco no armonizaba con la canicie sino en el concepto de que ésta fuese gracia y   5
adorno más que signo de vejez; bien vestida de negro, con sombrero que a don Francisco le pareció una de las prendas

más elegantes que había visto en su vida; señora de aspecto
noble hasta la pared de enfrente, con guantes, calzado fino de
pie pequeño, toda ella pulcra, decente, requetefina, despi-   10
diendo de su persona lo que Torquemada llamaba olorcillo de
aristocracia. Después de rezar un ratito junto al cadáver, pasó
la desconocida al gabinete, adonde la siguió el avaro, deseoso
de meter baza con ella, haciéndole comprender que él, entre
tanta gente ordinaria, sabía distinguir lo fino y honrarlo.   15
Sentóse la dama en un sofá, enjugando sus lágrimas, que
parecían verdaderas, y viendo que aquel estafermo se le
acercaba sombrero en mano, le tuvo por representación de la
familia, que hacía los honores de la casa.

    — Gracias — le dijo — ; estoy bien aquí ... ¡Ay, qué   20
amiga hemos perdido!

    Y otra vez lágrimas, a las que contestó el prestamista con
un suspiro gordo, que no le costó trabajo sacar de sus recios
pulmones.

    — ¡Sí, señora, sí; qué amiga, qué sujeta tan exce-   25
lente! ... ¡Como disposición para el manejo ..., pues ..., y
como honradez a carta cabal, no había quien le descalzara el
zapato! ¡Siempre mirando por el interés y haciendo todas
las cosas como es debido! ... Para mí es una pérdida ...
(PN-1, 270)

Primero notamos que en este trozo no hay resumen, están
incluídos todos los detalles. También presenciamos todos estos detalles como si estuviéramos presentes. Igualmente que don Francisco
de Torquemada, sentimos la presencia de esta mujer que despide
«un olorcillo de aristocracia». También notamos la presencia de
Torquemada y sus esfuerzos torpes para hacerse el distinguido.

En *El árbol de la ciencia* la técnica de Pío Baroja es bastante
distinta. Todos los detalles no se incluyen y hay mucho resumen.
Baroja resume las conversaciones, dando la opinión de cada inter-
locutor; después nos da un solo ejemplo breve. En la escena anterior
a la que vamos a citar, Baroja ha descrito, con bastantes detalles, la
escandalosa recepción de un profesor de la escuela de medicina el
primer día de clase. Pero se limita a describir la recepción de
Montaner en una sola frase. «Salió Andrés Hurtado con Aracil, y los
dos, en compañía del joven de la barba rubia, que se llamaba
Montaner, se encaminaron a la Universidad Central, en donde daban
la clase de Zoología y la de Botánica.

En esta última los estudiantes intentaron repetir el escándalo de la clase de Química; pero el profesor, un viejecillo seco y malhumorado, les salió al encuentro, y les dijo que de él no se reía nadie, ni nadie le aplaudía como si fuera un histrión.≫ (PN-2, 90) En los párrafos que siguen describe las conversaciones y nos da un solo ejemplo del modo de hablar de cada persona.

Andrés experimentaba por Julio Aracil bastante antipatía, aunque en algunas cosas le reconocía cierta superioridad; pero sintió aún mayor adversión por Montaner.

Las primeras palabras entre Montaner y Hurtado fueron poco amables. Montaner hablaba con una seguridad de todo,   5
algo ofensiva; se creía, sin duda, un hombre de mundo. Hurtado le replicó varias veces bruscamente.

Los dos condiscípulos se encontraron en esta primera conversación completamente en desacuerdo. Hurtado era republicano; Montaner, defensor de la familia real; Hurtado era   10
enemigo de la burguesía; Montaner, partidario de la clase rica y de la aristocracia.

— Dejad esas cosas — dijo varias veces Julio Aracil — ; tan estúpido es ser monárquico como republicano; tan tonto defender a los pobres como a los ricos. La cuestión sería   15
tener dinero, un cochecito como ése — y señalaba uno — y una mujer como aquélla. (PN-2, 90)

Seguramente las lecturas le enseñarán al estudiante que la mayoría de los autores emplea una combinación de los dos métodos, pero creemos que la distinción es válida y útil. Los dos métodos también se encuentran en la poesía épica y en el drama. El juglar de Medinaceli que cantó las hazañas del Cid se valió principalmente de la narración con resumen de los hechos, pero, en algunos momentos, cuando las huestes del Cid salían de algún lugar o cuando estaban luchando, llegamos a presenciar la acción más directamente.

Vierais tantas lanzas   hundir y alzar,
tanta adarga   horadar y traspasar,
tanta loriga   romper y desmallar,
tantos pendones blancos   rojos de sangre quedar,
tantos caballos briosos   sin sus dueños andar.   5
Los moros gritan ≪ ¡Mahoma! ≫;   ≪ ¡Santiago! ≫ la
   cristiandad.
Van cayendo por el campo   en un poco de lugar
muchos moros muertos   mil trescientos ya.
(B, 21)

Si lo pensamos un poco veremos que toda la trama de una pieza dramática no puede presentarse en una forma del todo dramática. Debido a las limitaciones del tiempo, el dramaturgo también tiene que emplear la narración-resumen. Así pone en boca de uno de sus personajes una explicación, o exposición, de lo que ha pasado anteriormente, para que el auditorio se entere. Luego puede seguir el drama propiamente dicho. Como ejemplo típico podemos citar el parlamento del Comendador en *Fuenteovejuna* de Lope de Vega.

> Porque, muerto Enrique cuarto,
> quieren que al rey don Alonso
> de Portugal, que ha heredado,
> por su mujer, a Castilla,
> obedezcan sus vasallos;   5
> que aunque pretenden lo mismo
> por Isabel don Fernando,
> gran príncipe de Aragón,
> no con derecho tan claro
> a vuestros deudos, que, en fin,   10
> no presumen que hay engaño
> en la sucesión de Juana,
> a quien vuestro primo hermano
> tiene ahora en su poder.
> (B, 271-2)

PREGUNTAS

1   ¿Son los acontecimientos de la trama observados, experimentados, literarios, históricos, imaginados? ¿Hay una combinación de algunas de estas clases?

2. ¿Estos acontecimientos pertenecen al mundo de los sueños, de la locura, de la fantasía? ¿Son verosímiles dentro de estos mundos?

3. ¿Que propósito gobierna la fragmentación de los acontecimientos? ¿Están, por ejemplo, al servicio de una tesis?

4. ¿Qué adjetivo escogería usted para designar el manejo de la casualidad? ¿Cuál es la importancia de la casualidad? ¿y el equívoco?

5. ¿Predomina la narración-resumen o la descripción dramática con diálogo?

6. ¿Qué trucos o métodos ha empleado el creador para hacer la presentación más dramática?

7. ¿Será que el punto de vista personal, el yoísmo, de muchos de

los autores del 98 estorba la presentación más directa y dramática de sus obras?

8. ¿Hasta qué punto tienen valor simbólico los acontecimientos de esta obra?

9. ¿Puede compararse la presentación de la trama en esta obra con la de otras obras?

10. No se les olvide que la trama forma una parte íntegra de toda la obra. ¿Cuál es la relación de la trama con los otros aspectos? Por ejemplo, ¿sirven algunos acontecimientos para revelar el carácter de un personaje, para desarrollar su personalidad, para evocar o estimular su drama interior?

11. ¿Cuál es el tema principal de la obra? ¿Es un tema de época, nacional, universal, o particular del autor?

12. ¿Cuál es la relación entre el tema o los temas y el modo en que el autor maneja el sistema de valores en la obra?

Los seres humanos

Selección

El autor maneja libremente los seres humanos que van a formar parte de su creación literaria. Los seres humanos o los personajes son principalmente de tres tipos: personajes reales, personajes irreales y personajes compuestos. Los personajes reales son los personajes de carne y hueso, vistos y observados por el autor.

Éste puede sacarlos de la realidad y meterlos integralmente en su creación literaria. En este caso el escritor ejerce el derecho de seleccionar a algunos personajes y rechazar a otros. Los personajes irreales son los que se conciben dentro del cerebro del creador literario. En la creación de los seres irreales el autor tiene una libertad completa. Puede crear una mujer ideal, divina, un monstruo horrible o una combinación de los dos. La imaginación no sufre los límites de la lógica y el escritor puede crear en su imaginación unos personajes que son poco semejantes a los seres que pisan la tierra y comen pan. El mundo onírico, o sea el mundo de los sueños, con su falta de lógica facilita mucho esta clase de creación. El mundo de la locura y el mundo de la fantasía tampoco sufren las limitaciones de la lógica y de la razón.

También por el proceso de la lógica el escritor puede idearse personajes irreales. Muchas veces estos son personajes simbólicos, portadores de las ideas y de los sentimientos del autor. Doña Perfecta, en una de las primeras novelas de Galdós, es una mujer que simboliza el cerrado y dogmático fanatismo religioso, y Pepe Rey, en la misma novela, simboliza el liberalismo y el progreso. Hay todavía otra posibilidad para los personajes irreales. El autor puede sacarlos de la literatura misma.

Los personajes compuestos forman el grupo más interesante y tal vez más valioso a causa de sus infinitas posibilidades y su rica variación. Aun dentro del grupo de los personajes reales hay seres compuestos porque el autor puede ir recogiendo muchas características distintas de varios seres reales y colocarlas en un solo personaje creado. En tal caso este personaje no sería ni real ni irreal sino que sería más bien un personaje compuesto de características reales. Muchas veces el personaje real sólo sirve como el trampolín de la realidad y a este personaje, visto y observado, el autor añade cosas imaginadas, soñadas, ideadas y leídas. El caso de *Juanita la larga* de Juan Valera nos brinda un buen ejemplo. Un día Juan Valera vio a una moza de unos quince abriles, una moza fresca, alegre y sana que iba a la fuente por agua. Era personaje real de carne y hueso. Pero la moza que sale en la novela es mucho más que esta moza vista y observada. En la novela, Juanita llega a ser el compendio de todas las virtudes que Juan Valera deseaba encontrar en la mujer. Es una mujer posible, pero tal vez no plausible. Los clásicos y los neoclásicos la tacharían, tal vez, de poco verosímil, pero nosotros preferimos seguir con nuestro criterio amplio, y la aceptamos.

Leyendo y estudiando la obra de Juan Valera encontramos otro problema en la selección de los personajes, el número y origen de ellos. Muchas veces, como en el caso de Juan Valera, esto ayuda a caracterizar y aclarar muchos procedimientos del autor. Las novelas de don Juan Valera son bien céntricas en el sentido de que sólo escoge los personajes centrales y más importantes de una villa. Por lo general son la chica más guapa, inteligente, rica, virtuosa y culta; el hombre más rico y poderoso; el cura más bueno y culto, la señora más respetada — media docena de personajes en total; todos de la flor y nata de la sociedad de aquella villa. Si entran otros, sobre todo plebeyos, tienen papeles secundarios y permanecen poco tiempo en la escena.

Los personajes de Galdós, en cambio, forman una verdadera síntesis de la demografía española. Son muchos, vienen de todas las regiones y de todos los distintos niveles de la sociedad. Es más, en sus novelas, su lugar dentro de la sociedad no es estático sino dinámico. Suben y bajan de nivel, los aristócratas se hacen más plebeyos y los plebeyos más aristocráticos.

La novela naturalista se concentra mucho sobre los seres más bajos. Son muchos, se comparan con los animales, y como éstos, tienen que luchar para sobrevivir.

Baroja tiene un número fantástico de personajes. Representan todas las clases sociales y todos los oficios desde los príncipes, hasta los mendigos y verdugos. Todos estos hombres, dentro de la obra de don Pío, tienen algo en común. Todos son hombres-islas. Viven apartados y aislados de las grandes corrientes, humanas e intelectuales.

Presentación

Una vez ideados los personajes, el creador literario los tiene que colocar en su obra y hacerlos mover según sus gustos y sus propósitos. El autor, al presentar, mover y controlar sus personajes, encara cuatro problemas básicos. Son, en cierto sentido, cuatro opciones o decisiones que tiene que hacer. Tiene que decidir si afirmar sus personajes, casi siempre por meras palabras, o justificarlos por hechos y circunstancias. También tiene que elegir entre la presentación directa, el proceder dramático, y la presentación indirecta y descriptiva. Puede hacerlos hablar o puede hablar acerca de ellos. Puede dejar ver lo que son o puede explicarlo.

La presentación de los personajes sirve dos fines bien distintos entre sí y el autor escoge uno de ellos. Puede limitarse a la sencilla revelación de carácter, mostrar cómo es y cómo ha sido siempre. Es decir, puede dedicar sus talentos a crear en nosotros los lectores – o en otros personajes menores – un conocimiento cada vez más completo, más rico, del protagonista. Por otra parte, puede desarrollar el personaje, hacerle cambiar, presentarle en proceso de desarrollo personal. El empleo de un modo no excluye el empleo de los demás, claro está, y el autor hábil siempre varía sus técnicas.

Por afirmación del personaje queremos sugerir que el autor se vale simplemente de la fuerza creadora de sus palabras, como si sólo sus palabras dieran existencia a su creación. No se cree obligado a dar explicaciones, ejemplos ni detalles. Afirma las características de su personaje, y así lo deja.

Un ejemplo corto es la presentación por afirmación de un personaje singular de Francisco de Quevedo.

> Érase un hombre a una nariz pegado,
> érase una nariz superlativa,
> érase una nariz sayón y escriba,
> érase un peje espada muy barbado.
> (B, 257)   5

En el Siglo de Oro esta fe en la eficacia creadora de la palabra logró poner en pie a centenares de hombres creados sólo a base de una serie de calificativos convencionales: rico, gallardo, discreto, honrado, generoso, etc. Ejemplo típico son los primeros párrafos de la novela ejemplar *La gitanilla* de Cervantes. Notarán que Cervantes declara la extremada belleza de la gitanilla y los otros la reafirman con las frases ingeniosas de la época.

> . . . Ya tenía aviso la señora doña Clara, mujer del señor
> Teniente, cómo habían de ir a su casa las gitanillas, y estába-
> las esperando como el agua de mayo ella y sus doncellas y
> dueñas, con las de otra señora vecina suya, que todas se
> juntaron para ver a Preciosa; y apenas hubieron entrado las   5
> gitanas, cuando entre las demás resplandeció Preciosa como la
> luz de una antorcha entre luces menores; y así, corrieron
> todas a ella: unas la abrazaban, otras la miraban, éstas la
> bendecían, aquéllas la alababan. Doña Clara decía:
> — ¡Éste sí que se puede decir cabello de oro! ¡Éstos sí   10
> que son ojos de esmeralda!
> La señora su vecina la desmenuzaba toda, y hacía pepi-
> toria de todos sus miembros y coyunturas. Y llegando a alabar
> un pequeño hoyo que Preciosa tenía en la barba, dijo:
> — ¡Ay, qué hoyo! En este hoyo han de tropezar cuantos   15
> ojos le miraren.
> Oyó esto un escudero de brazo de la señora doña Clara,
> que allí estaba, de luenga barba y largos años, y dijo:
> — ¿Ése llama vuesa merced hoyo, señora mía? Pues yo sé
> poco de hoyos, o ése no es hoyo, sino sepultura de deseos   20
> vivos. ¡Por Dios, tan linda es la Gitanilla, que hecha de plata
> o de alcorza no podría ser mejor! (delR-1, 445)

La tendencia de crear personajes por mera afirmación está muy arraigada en la literatura española. Algunos opinan que es debido al sistema de valores del español, que incluye el alto valor, casi mágico, de la palabra. Sea como sea, si la tendencia hacia la afirmación es común, el otro extremo, la justificación, no lo es. Sin embargo, hay ejemplos notables en los cuales el autor hace un esfuerzo especial por justificar el personaje de su creación. No se contenta con la simple afirmación; lo justifica por medio de investigaciones y explicaciones de psicología, de herencia, de circunstancias sociales, de experiencias, etc.

Un ejemplo sencillo de justificación es el de Lázaro, quien al principio no es pícaro; aprende a serlo en la dura escuela de la vida. Una de las «lecciones» es la que transcribimos.

> Salimos de Salamanca y, llegando a la puente, a la entrada de ella está un animal de piedra, que casi tiene forma de un toro, y el ciego mandóme que llegase cerca del animal. Y allí puesto, me dijo:
> — Lázaro, llega el oído a este toro, y oirás gran ruido   5
> dentro de él.
> Yo simplemente llegué, creyendo ser así. Y como sintió la cabeza par de la piedra, afirmó recio la mano y diome una gran calabazada en el diablo del toro, que más de tres días me duró el dolor de la cornada, y díjome: 10
> — Necio, aprende que el mozo del ciego ha de saber un punto más que el diablo. — Y rió mucho la burla.
> Parecióme que en aquel instante desperté de la simpleza en que como niño estaba dormido. Dije entre mí: «Verdad dice éste, que me cumple avivar el ojo y avisar, pues solo soy,   15
> y pensar cómo me sepa valer.» (B, 167-8) (delR-1, 338) (P-1, 87-8) (M-1, 171-2).

El ejemplo de Lázaro es, como hemos visto, autojustificación; Lázaro mismo va contando su vida. También es sencillo; sobra todo comentario. Otro ejemplo más extenso y más complejo es *La Regenta* de Clarín (Leopoldo Alas). Aquí es el autor mismo quien realiza la justificación del carácter de su protagonista, Ana de Ozores. Por medio de *flashbacks* y otros recursos, Clarín señala la importancia que para la personalidad de Ana tienen su niñez, su falta de madre, el no tener hijos, la esterilidad e hipocresía de la sociedad y de la iglesia, etc.

Para nosotros la revelación del personaje es la técnica de dejar ver poco a poco, a través de toda la obra o una parte de ella, distintas facetas del carácter de uno o de varios personajes. No se trata de un cambio de personalidad por parte de la criatura literaria, sino más bien de un proceso gradual por parte del lector, siempre bajo el control del escritor. Vamos enterándonos de la complejidad de los personajes, vamos conociéndolos, hasta tener al fin una concepción más o menos cabal de ellos. El afán del autor, entonces, no está en el cambio que sufran o no sufran los personajes, sino que está en la revelación de ellos tal como son. En términos generales, los personajes creados por Pío Baroja son revelados. La mayoría de ellos no crecen espiritualmente, no sufren cambios radicales en la vida ni en la moral. Existen, y experimentan una serie de desilusiones que sirven para ilustrar o revelar su desilusión inicial. Son unos pobres hombres, de principio a fin, revelados por su creador en su esencia humana a través de distintos momentos de sus vidas ordinarias. Veamos este incidente de *El árbol de la ciencia*.

La visita en San Juan de Dios fué un nuevo motivo de depresión y melancolía para Hurtado. Pensaba que por una causa o por otra el mundo le iba presentando su cara más fea.

A los pocos días de frecuentar el hospital, Andrés se inclinaba a creer que el pesimismo de Schopenhauer era una   5
verdad casi matemática. El mundo le parecía una mezcla de manicomio y de hospital; ser inteligente constituía una desgracia, y sólo la felicidad podía venir de la inconsciencia y de la locura. Lamela, sin pensarlo, viviendo con sus ilusiones, tomaba las proporciones de un sabio.   10

.   .   .   .

Una vez Hurtado decidió no volver más por allá. Había una mujer que guardaba constantemente en el regazo un gato blanco. Era una mujer que debía haber sido muy bella, con los ojos negros, grandes, sombreados, la nariz algo corva y el tipo egipcio. El gato era, sin duda, lo único que le quedaba de   15
un pasado mejor. Al entrar el médico, la enferma solía bajar disimuladamente al gato de la cama y dejarlo en el suelo; el animal se quedaba escondido, asustado, al ver entrar al médico con sus alumnos; pero uno de los días el médico lo vió y comenzó a darle patadas.   20
— Coged ese gato y matadlo — dijo el idiota de las patillas blancas al practicante.
El practicante y una enfermera comenzaron a perseguir al animal por toda la sala; la enferma miraba angustiada esta persecución.   25

— Y a esta tía llevadla a la guardilla — añadió el médico.

La enferma seguía la caza con la mirada y, cuando vió que cogían a su gato, dos lágrimas gruesas corrían por sus mejillas pálidas.

— ¡Canalla! ¡Idiota! — exclamó Hurtado, acercándose al 30 médico con el puño levantado.

— No seas estúpido — dijo Aracil —. Si no quieres venir aquí, márchate.

— Sí, me voy, no tengas cuidado, por no patearle las tripas a ese idiota miserable. (PN-2, 94-5)   35

Por desarrollo llamamos la atención del lector al carácter del personaje literario en proceso de cambio. En muchas obras el protagonista sufre un cambio radical, a veces repentino, a veces lento. Puede aprender una nueva verdad que lo cambia, puede adaptarse a nuevas exigencias vitales, a las de una nueva clase social, por ejemplo. En estos casos el afán del autor está en el cambio mismo; presenta las etapas del cambio, o las dificultades psicológicas, o los efectos realizados en otros personajes, etc.

Benito Pérez Galdós es maestro en la presentación de personajes en desarrollo. En *Torquemada en la cruz,* el prestamista grosero, Torquemada, trata de modificar su manera de hablar, de vestirse, etc., de acuerdo con las normas nuevas y más elegantes de Fidela y Cruz del Águila y de su abogado, Donoso. Primero nos hace ver Galdós, revelando y a veces justificando, la torpeza fundamental del carácter y hasta del andar de Torquemada.

Levantóse, alargando la mano fina y perfectamente enguantada, que el avaro cogió con muchísimo respeto, quedándose un rato sin saber qué hacer con ella.

—Cruz del Águila . . . . Costanilla de Capuchinos, la puerta que sigue a la panadería . . ., piso segundo. Allí tiene usted su   5 casa. Vivimos los tres solos: mi hermana y yo, y nuestro hermano Rafael, que está ciego.

— Por muchos años . . . , digo, no: no sabía que estuviera ciego su hermanito. Disimule . . . A mucha honra . . .

— Beso a usted la mano.   10

— Estimando a toda la familia . . .

— Gracias . . .

— Y . . . , lo que digo . . . Conservarse.

Acompañóla hasta la puerta, refunfuñando cumplidos, sin que ninguno de los que imaginó le saliera correcto y airoso,   15 porque el azoramiento le atascaba las cañerías de la palabra, que nunca fueron en él muy expeditas.

— ¡Valiente plancha acabo de tirarme! — bramó, airado
contra sí mismo, echándose atrás el sombrero y subiéndose
los pantalones con movimiento de barriga ayudado de las   20
manos.

Maquinalmente se metió en la sala, sin acordarse de que
allí estaba, entre velas resplandecientes, la difunta; y, al verla,
lo único que se le ocurrió fué decirle con el puro pensamiento: 25

≪Pero ¿usted . . . , ¡ñales! , por qué no me advir-
tió . . . ? ≫

(PN-1, 273-4)

Luego nos explica y nos hace ver que se esfuerza por hablar y por
portarse con más corrección.

Dicho se está que antes faltaran las estrellas en la bóveda
celeste que Torquemada en la tertulia de las señoras del
Águila, y en la confraternidad del señor de Donoso, a quien
poco a poco imitaba, cogiéndole los gestos y las palabras, la
manera de ponerse el sombrero, el tonito para saludar fami- 30
liarmente, y hasta el modo de andar.

. . . .

Cruz sí que se le entraba por las puertas del alma con su
afabilidad cariñosa, y aquel gracejo que le había dado Dios
para tratar todas las cuestiones. Poquito a poco fué creciendo
la familiaridad, y era de ver con qué salero sabía la dama
imponerle sus ideas, trocándose de amiga en preceptora.   35
≪Don Francisco, esa levita le cae a usted que ni pintada. Si
no moviera tanto los brazos al andar, resultaría usted un
perfecto diplomático≫ . . . ≪Don Francisco, haga por perder
la costumbre de decir mismamente y ojo al Cristo. No sienta
bien en sus labios esa manera de hablar≫ . . . ≪Don Fran- 40
cisco, ¿quién le ha puesto a usted la corbata? ¿El gato?
Creeríase que no han andado manos en ella, sino garras ≫ . . .
≪Don Francisco, siga mi consejo y aféitese la perilla, que
mitad blanca y mitad negra, tiesa y amenazadora, parece cosa
postiza. El bigote sólo, que ya le blanquea, le hará la cara más 45
respetable. No debe usted parecer un oficial de clase de
tropa, retirado. A buena presencia no le ganará nadie si hace
lo que le digo≫ . . . ≪Don Francisco, quedamos en que desde
mañana no me trae acá el cuello marinero. Cuellito alto,
¿estamos? O ser o no ser persona de circunstancias, como 50
usted dice≫ . . . ≪Don Francisco, usa usted demasiada agua
de colonia. No tanto, amigo mío. Desde que entra usted por
la puerta de la calle vienen aquí esos batidores del perfume

anunciándole. Medida, medida, medida en todo≫ ... ≪Don
Francisco, prométame no enfadarse, y le diré ... ¿Se lo   55
digo? ... Le diré que no me gusta nada su escepticismo
religioso: ¡Decir que no le entra el dogma! Aparte la forma
grosera de expresarlo, ¡entrarle el dogma! , la idea es
abominable. Hay que creer, señor mío. Pues qué, ¿hemos
venido a este mundo para no pensar más que en el miserable   60
dinero? ≫ (PN-1, 292-4)

El método más común de efectuar cambios en los personajes o de
revelar los rasgos esenciales de su carácter es colocarlos en una serie
de situaciones o casos difíciles. Así son reveladas todas las buenas
cualidades del Cid en las batallas, en las hazañas y en todos sus
hechos. De la misma manera, conocemos las bajezas de los Infantes
de Carrión a través de sus actos. Consideramos importante diferen-
ciar entre este tipo de desarrollo y revelación y el basado en el
contraste humano o en el contacto humano.

Es obvio, creemos, que el contraste entre el carácter de don
Quijote y Sancho Panza facilita mucho la revelación del ser esencial
de cada uno. Del mismo modo la diferencia entre Jacinta, mujer rica
de la sociedad y Fortunata, mujer del pueblo, ayuda mucho a Galdós
en la revelación de las dos.

Por lo general el contraste es violento, un contraste entre dos
seres diametralmente opuestos y este recurso sirve principalmente
para la revelación. Para el desarrollo, en cambio, algunos autores se
valen del contacto humano. Creemos que el desarrollo del carácter a
base del contacto humano tiende a limitarse a algunos autores
notables y a las obras maestras. Los cambios efectuados por el
contacto humano suelen ser ligeros y hasta sutiles, pero como tales
captan una esencia psicológica de la humanidad. Excluimos de este
proceder todo caso del llamado flechazo amoroso. Estos casos donde
el galán ve el dedito de una dama tras una reja y se enamora
perdidamente de ella y ella de él no son los que queremos señalar.
Estos amores, platónicos y violentos, tan comunes en el Siglo de Oro
y en el romanticismo, no son el resultado de un cambio. Los dos
participantes ya llevan el pecho cargado, electrificado si se quiere, de
esta pasión; este amor ya existía antes del encuentro fatal. Para
nuestro cambio, delicado y genial, se necesita de cierta prolongación
en el contacto.

Lazarillo de Tormes aprende mucho de sus amos, mas este
aprendizaje, duro y práctico, se efectúa a base de experiencias, a

fuerza de golpes. Con el escudero, en el libro tercero, no es así. El contacto con el escudero le despierta cierta admiración, le graba en el espíritu un no sé qué de sentimiento para con aquel hidalgo pobre y su negra honra. Notemos que Lazarillo, como narrador yo-protagonista, no habla directamente de este sentimiento porque pertenece a otro mundo, pero se vislumbra en sus palabras.

> . . . a lo menos en casa bien lo estuvimos sin comer, no sé yo cómo o dónde andaba y qué comía. ¡Y verle venir a mediodía la calle abajo con estirado cuerpo, más largo que galgo de buena casta! Y por lo que tocaba a su negra, que dicen honra, tomaba una paja de las que aún asaz no había en   5
> casa, y salía a la puerta escarbando los que nada entre sí tenían, quejándose todavía de aquel mal solar . . . (P-1, 99-100) (M-1, 190)

El caso más mentado de este tipo de cambio se efectúa entre don Quijote y Sancho Panza. Todos los golpes, a pesar de ser muchos y muy duros, no cambian en nada a don Quijote, pero su asociación prolongada e íntima con Sancho Panza sí lo afecta y lo cambia. También, como vemos claramente al fin de la novela, este contacto transforma bastante a nuestro Sancho Panza.

> — ¡Ay! — respondió Sancho, llorando — . No se muera vuesa merced, señor mío, sino tome mi consejo, y viva muchos años; porque la mayor locura que puede hacer un hombre en esta vida es dejarse morir, sin más ni más, sin que nadie le mate, ni otras manos le acaben que las de la melan-   5
> colía. Mire no sea perezoso, sino levántese desa cama, y vámonos al campo vestidos de pastores, como tenemos con-certado; quizá tras de alguna mata hallaremos a la señora doña Dulcinea desencantada, que no hay más que ver. Si es que se muere de pesar de verse vencido, écheme a mí la   10
> culpa, diciendo que por haber yo cinchado mal a Rocinante le derribaron: cuanto más que vuesa merced habrá visto en sus libros de caballerías ser cosa ordinaria derribarse unos caballeros a otros, y el que es vencido hoy ser vencedor mañana. (delR-1, 522)   15

Al comentar el aspecto de la trama hicimos una distinción entre dos técnicas de presentar los incidentes de la trama: narración-resumen y descripción con diálogo. Evidentemente, esta misma distinción tiene su valor al comentar la caracterización también. En el segundo de los dos pasajes citados de *Torquemada en la cruz*, vemos un buen ejemplo de narración-resumen; Galdós no nos hace ver esta faceta del cambio operante en Torquemada; simplemente nos lo explica, nos lo resume.

En cambio, el tercer trozo ejemplifica más bien una descripción con fragmentos de diálogo típico, amonestaciones de Cruz en su papel de maestra de modales sociales.

A Galdós le interesaba mucho la presentación dramática, el diálogo y veía muy claramente las ventajas de este proceder. Lo afirma en el prólogo de *El abuelo*.

El sistema dialogal, adoptado ya en *Realidad,* nos da la forja expedita y concreta de los caracteres. Estos se hacen, se componen, imitan más fácilmente, digámoslo así, a los seres vivos, cuando manifiestan su contextura moral con su propia palabra y con ella, como en la vida, nos dan el relieve más o menos hondo y firme de sus acciones. La palabra del autor, narrando y describiendo, no tiene, en términos generales, tanta eficacia ni da tan directamente la impresión de la verdad espiritual. Siempre es una referencia, algo como la Historia, que nos cuenta los acontecimientos y nos traza retratos y escenas. Con la virtud misteriosa del diálogo parece que vemos y oímos, sin mediación extraña, el suceso y sus actores, y nos olvidamos más fácilmente del artista oculto que nos ofrece una ingeniosa imitación de la Naturaleza. (Benito Pérez Galdós. *Obras completas*. Aguilar, ©1951, V. 6, p. 11.)

Aprovechemos esta oportunidad, pues, de señalar otra vez que los diez «aspectos» aquí explicados, con todas sus distinciones y divisiones, tienen más que un poco de arbitrariedad. Ni son aspectos exclusivos, unos de otros, ni son estos diez los únicos. Una obra de arte es una totalidad, una unidad. Y si nos acercamos a ella aspecto por aspecto, es para verla mejor y apreciarla justamente en su totalidad.

PREGUNTAS

1. ¿Cuáles son los indicios dentro de la obra que nos llevan a creer que los personajes son vistos y observados?
2. ¿Qué pruebas hay fuera de la obra que indiquen lo mismo?
3. ¿Parecen formados algunos personajes de lo observado y lo imaginado? ¿Qué cualidades predominan en estos personajes, las cualidades observadas o las cualidades imaginadas? ¿Es

posible distinguir entre lo observado y lo imaginado en los personajes de esta obra?

4. ¿Tiene el autor una fórmula para la creación de sus personajes?

5. ¿Predomina la afirmación o la justificación del personaje central? ¿Corresponde el predominio de una o de otra técnica a otras consideraciones: tesis, ideas, importancia de la acción, paisaje, etc.?

6. ¿Emplea el autor la revelación lenta al presentar a sus personajes? ¿En el caso de todos los personajes? ¿Hay sorpresas inesperadas en el curso de la revelación?

7. ¿Se encuentran los personajes, o el personaje central, en desarrollo? ¿Cuál es el desarrollo o el cambio realizado? ¿Cuáles son los momentos de la obra que mejor dejan ver el desarrollo? ¿Es un desarrollo llevado a cabo por acontecimientos y circunstancias o por el contacto humano?

8. Si es una obra narrativa, ¿predomina la narración-resumen o la descripción con diálogo en la presentación de los personajes principales? ¿Y de los secundarios?

9   ¿Tiene más importancia la caracterización, la psicología, de los seres humanos en esta obra o la acción, las aventuras en que se hallan? ¿Es posible contestar con toda seguridad?

10. ¿Cual es la relación precisa entre personaje y lector? ¿Quisiera el lector entablar amistad con alguno de los personajes mejor elaborados? ¿El lector sabe más de lo que se ha explicado o visto en la obra misma? Y la actitud del autor hacia sus criaturas, ¿es manifiesta y marcada o escondida y clínica?

El tiempo

El creador literario maneja con completa libertad las siguientes facetas del tiempo: la extensión del tiempo, el momento histórico y la marcha del tiempo con su dirección, velocidad y fragmentación. Todas estas facetas tienen que ver con el tiempo exterior, con el tiempo medido arbitrariamente por los calendarios y los relojes. Tenemos que considerar también el tiempo interior, el tiempo psíquico medido por la importancia personal de los acontecimientos y de las emociones.

Extensión

Al autor le toca determinar cuánto tiempo va a durar su obra. Puede desarrollar la acción en un par de horas, en un giro del sol, en un año o en la vida del protagonista. En la determinación de la extensión de la obra existe una infinidad de posibilidades.

También el autor tiene que fijar el tiempo histórico. Tiene que preocuparse por ciertas cosas como el período, el año, la estación, el mes, el día, la hora, el momento. Claro está que no tiene que fijar todas estas cosas, pero todas estas y muchas más entran en el problema. De un modo u otro el creador literario escoge un tiempo pasado, presente o futuro. En las indicaciones escenográficas de *Don Álvaro* nos indica el tiempo así, «Los trajes son los que se usaban a mediados del siglo pasado.» También fija, indirectamente, el tiempo histórico con los majos y las majas, tipos populares que abundaban a mediados del siglo 18. En *Pepita Jiménez*, Valera fija el mes y el día con la fecha de la carta, «22 de marzo», etc. Las primeras palabras de la novela nos dejan saber el período, un tiempo bastante reciente, conocido y vivido por el autor. (P-2, 386) (M-2, 17) El caso de Valera es significativo porque es el caso de casi todos los novelistas de la última mitad del siglo 19. Todos estos autores fijaron el tiempo histórico de sus obras en un tiempo reciente, conocido y vivido por ellos mismos. Muchas veces este tiempo cabe dentro de la misma década en que se escribe la obra. Los novelistas Galdós, Clarín, Alarcón, Palacio Valdés y Blasco Ibáñez pueden incluirse en este grupo.

Muchos autores fijan el tiempo histórico en el presente o en el futuro. En las obras de Azorín encontramos con bastante frecuencia la fusión de un tiempo pasado, un tiempo presente y un tiempo futuro. En *Las nubes* vemos que lo que pasó hace siglos, el flechazo amoroso que sintió Calisto cuando saltó una tapia y vio a Melibea, está pasando hoy y pasará en el futuro con los hijos de Calisto y Melibea. (P-2, 536) (M-2, 225) Algunos autores como Miguel de Unamuno no fijan el tiempo histórico de sus obras. Lo hacen deliberadamente, procurando así dar más universalidad a sus obras. No sabemos, por ejemplo, el tiempo histórico de *San Manuel Bueno, mártir.* (PN-2, 31) (M-2, 149)

La marcha

En la marcha del tiempo el autor controla la velocidad, la dirección y la fragmentación. Puede haber, en cualquier obra, un tiempo rápido, un tiempo lento o una combinación de los dos. Se habrá notado que en las novelas picarescas como *Lazarillo de Tormes* y en los libros de caballería donde hay muchas aventuras y estas aventuras tienen mucha importancia, el tiempo transcurre rápidamente. La marcha del tiempo en el *Quijote* es también rápida, lo cual da a la obra una nota de vitalidad. Los naturalistas, en cambio, tenían que dar todos los detalles descriptivos y por eso el tiempo en sus obras es bastante lento. Este es el caso de «La cencerrada» de Vicente Blasco Ibáñez. (PN-1, 240) En nuestro siglo la morosidad del tiempo sirve para dar una nota antivital y triste al ambiente total de la obra. Casi todos los miembros de la generación del 98 como Azorín, Baroja y Valle-Inclán, emplearon el tiempo lento para crear ambientes tristes y antivitales.

El creador literario, valiéndose de la completa libertad de su arte, puede comenzar su obra al principio, en medio (*in medias res*) o al final. Muchas veces prefiere comenzar en un punto de mucho interés e informar al lector sobre lo que ha acontecido antes con unas vistas hacia el pasado (*flashbacks*).

Como le es casi imposible mantener la misma marcha del tiempo a través de toda la obra creada el autor necesita hacer unas divisiones en su obra, necesita fragmentar el tiempo. En las obras episódicas como la novela picaresca, la novela de caballerías y hasta en el *Quijote* esto era bastante fácil. Los mismos episodios, a veces puras anécdotas o chistes, marcaban la división. Estas divisiones parecían tener su propia lógica temporal. La fragmentación llega a ser más compleja e ilógica en la obra del siglo veinte. Azorín da su idea, siempre bastante representativa de su generación, sobre la fragmentación del tiempo en *Las confesiones de un pequeño filósofo*.

> No voy a contar mi vida de muchacho y mi adolescencia punto por punto, tilde por tilde. ¿Qué importan y qué podrían decir los títulos de mis libros primeros, la relación de mis artículos agraces, los pasos que di en tales redacciones o mis andanzas primitivas a caza de editores? Yo no quiero ser 5
> dogmático e hierático; y para lograr que caiga sobre el papel, y el lector la reciba, una sensación ondulante, flexible, ingenua de mi vida pasada, yo tomaré entre mis recuerdos algunas notas vivaces e inconexas — como lo es la realidad —, y con ellas saldré del grave aprieto en que me han colocado 10
> mis amigos, y pintaré mejor mi carácter, que no con una seca y odiosa ringla de fechas y de títulos. (PN-2, 144)

Es evidente que este tiempo obedece más bien a una realidad íntima y no a una realidad exterior. Y con esto nos acercamos más al tiempo interior.

Tiempo interior

El uso del tiempo interior varía de autor en autor. Muchas veces capta la emoción de un momento efímero. Veamos este ejemplo de *Torquemada en la hoguera* de Galdós.

De vuelta a casa, ya anochecido, encontró, al doblar la esquina de la calle de Hita, un anciano mendigo y haraposo, con pantalones de soldado, la cabeza al aire, un andrajo de chaqueta por los hombros, y mostrando el pecho desnudo. Cara más venerable no se podía encontrar sino en las   5 estampas del *Año cristiano*. Tenía la barba erizada y la frente llena de arrugas, como San Pedro; el cráneo terso, y dos rizados mechones blancos en las sienes. «Señor, señor — decía con el temblor de un frío intenso — , mire cómo estoy, míreme.» Torquemada pasó de largo, y se detuvo a poca   10 distancia; volvió hacia atrás, estuvo un rato vacilando, y al fin siguió su camino. En el cerebro le fulguró esta idea: «Si conforme traigo la capa nueva, trajera la vieja . . .»

En ese rato que Torquemada estuvo vacilando vemos el impulso hacia la compasión y la caridad, poco frecuentes en él. La poca duración de este sentimiento nos muestra que es una emoción débil y bastante fugaz.

Desde la publicación de *Tristram Shandy* por Laurence Sterne (1760) el tiempo en la obra literaria, y sobre todo en la novela, se ha hecho cada vez más complejo. Basta pensar en las obras de algunos autores como Marcel Proust, William Faulkner (sobre todo *The Sound and the Fury* donde hay tres tiempos distintos), Azorín, Érico Veríssimo, etc., para asegurarnos de este hecho.

PREGUNTAS

1. ¿Cuál es la extensión del tiempo en esta obra? ¿Cómo limita el autor su extensión? ¿Cómo indica su extensión? ¿Hay distinción entre tiempo exterior o de reloj y tiempo interior o psíquico?

2. ¿Cuál es la época histórica en la cual tiene lugar la obra? ¿Cómo se indica? ¿Cuál parece ser su importancia? ¿Es coherente la época histórica de la obra con todos los detalles: trajes, costumbres, etc.?

3. ¿Es rápida o morosa la marcha del tiempo exterior en esta obra? ¿Cómo logra el autor sugerir la rapidez o la morosidad del tiempo?

4. ¿Qué propósito parece haber en su manera de manejar el tiempo? ¿Corresponde a otro aspecto de los diez?

5. ¿Marcha el tiempo lógica y cronológicamente desde el principio hasta el fin de la obra? ¿Hay mucha fragmentación temporal – grandes lapsos o saltos en el tiempo?

6. ¿Es posible esbozar gráficamente una «línea temporal» para apreciar mejor el manejo del tiempo en la obra? Una línea así pudiera trazarse en la pizarra, con indicios de los saltos hacia atrás, las referencias a otros tiempos, los períodos de reminiscencia o de otras clases de tiempo interior, la relación de otra línea temporal de otro personaje, etc.

7. ¿Cuál es la relación entre la duración del tiempo exterior, su aparente rapidez o morosidad, y la naturaleza de la acción en un momento determinado?

8. ¿Cuál es la importancia del tiempo interior en esta obra? ¿Cómo nos deja entrar el autor en el laberinto del tiempo interior? ¿Hay correspondencia evidente entre el tiempo interior y ciertos detalles de la acción de la obra?

9. ¿Cómo difiere el manejo del tiempo en esta obra del manejo en otra obra de otro período?

10. ¿Cuál es la importancia del tiempo en esta obra, relativa a los otros aspectos técnicos de su creación?

El espacio

Limitación del lugar

«Si el lector quiere, antes de que nos separemos para siempre, echar otra ojeada sobre aquel rinconcillo de la tierra llamado Villamar, bien ajeno, sin duda, del distinguido huésped que va a recibir en su seno, le conduciremos allá sin que tenga que pensar en fatigas ni gastos de viaje. Y, en efecto, sin pensar en ello, ya hemos llegado.» (Fernán Caballero, *La gaviota*, Espasa-Calpe, S. A., 1943, p. 220.) Así ejemplifica, muy puerilmente, Fernán Caballero los privilegios de que gozan los creadores literarios en el manejo del espacio. La mayoría de ellos, sin embargo, procuran mejorar su técnica hasta el punto de que estos privilegios no le sean tan obvios al lector y que el espacio creado le parezca más real y convincente. El autor limita el lugar de su obra, arregla el movimiento de un sitio a otro, y finalmente, procura concretizarlo apelando a los cinco sentidos del lector.

Cambios de lugar

Como en el caso del tiempo, la idea de la llamada unidad de lugar resuelve o hace más sencillo el problema para muchos autores. En su teatro, claro está, los neoclásicos mantuvieron esta regla, pero los románticos no. Así en *Don Álvaro* del Duque de Rivas, vamos de un lugar a otro, desde Sevilla a Hornachuelos, al convento de los Ángeles, a Veletri, etc. En la mayoría de las novelas de don Juan Valera, en cambio, el lugar es bastante reducido. Casi siempre es una pequeña villa en Andalucía, y aún así vemos una parte mínima de ella ya que Valera solamente tiene interés en mostrarnos las casas y tal vez los huertos de unas cinco o seis personas, las más importantes. En cambio, el terreno abarcado en una novela de Galdós o Baroja es mucho más amplio. El lugar, muchas veces, es toda la ciudad de Madrid. Para atravesar todo este espacio Galdós y Baroja se valen a menudo de sus personajes que son como puentes humanos que nos conducen de un barrio de Madrid a otro, de un personaje a otro. Es un método directo y, para muchos, convincente.

Espacio concreto (los cinco sentidos)

Habrán notado los estudiantes que en algunas obras, las novelas de Charles Dickens, por ejemplo, el autor apela plenamente a los cinco sentidos. Es decir que cuando leemos sus obras sentimos el frío del viento cortante de Londres y cuando llegamos a una fonda sentimos el calor de la hoguera (tacto) y saboreamos el *hot buttered rum* (gusto), notamos el olor que emite la carne que el dueño está asando (olfato) y escuchamos el crepitar del fuego (oído). También vemos toda esta escena (vista). Todo esto quiere decir que el autor maneja, si se quiere, los cinco sentidos para concretizar el lugar de la acción, sea en un momento dado, sea en la obra como una totalidad.

El ejemplo siguiente demuestra claramente cómo ha establecido Carmen Laforet la realidad concreta del lugar en su cuento *Rosamunda*.

> Estaba amaneciendo, al fin. El departamento de tercera clase olía a cansancio, a tabaco y a botas de soldado. Ahora se salía de la noche como de un gran túnel y se podía ver a la gente acurrucada, dormidos hombres y mujeres en sus asientos duros. Era aquél un incómodo vagón-tranvía, con el pasillo atestado de cestas y maletas. Por las ventanillas se veía el campo y la raya plateada del mar. 5

Rosamunda se despertó. Todavía se hizo una ilusión
placentera al ver la luz entre sus pestañas semicerradas. Luego
comprobó que su cabeza colgaba hacia atrás, apoyada en el   10
respaldo del asiento, y que tenía la boca seca de llevarla
abierta. Se rehizo, enderezándose. Le dolía el cuello — su
largo cuello marchito — . Echó una mirada a su alrededor y se
sintió aliviada al ver que dormían sus compañeros de viaje.
Sintió ganas de estirar las piernas entumecidas — el tren   15
traqueteaba, pitaba — . Salió con grandes precauciones, para
no despertar, para no molestar, «con pasos de hada» —
pensó — , hasta la plataforma (PN-2, 327)

También el creador literario controla la luz y la oscuridad. Parece
que los románticos fueron los primeros que emplearon extensamente
esta técnica en el teatro y es de suponer que ellos a la vez la
aprendieron de la ópera italiana. Con un cambio de la luz el creador
puede sugerir un cambio de ambiente durante un momento o una
escena. Recuerden ustedes que al final de *Don Álvaro* el Duque de
Rivas hace oscurecer la escena para crear una atmósfera sombría,
propia para el desenlace trágico de la pieza.

El teatro representa un valle rodeado de riscos inaccesibles
y de malezas, atravesado por un arroyuelo. Sobre un peñasco
accesible con dificultad, y colocado al fondo, habrá una
medio gruta, medio ermita con puerta practicable, y una
campana que pueda sonar y tocarse desde dentro: el cielo   5
representará el ponerse el sol de un día borrascoso, se irá
obscureciendo lentamente la escena y aumentándose los
truenos y relámpagos; Don Álvaro y Don Alfonso salen por
un lado. (P-2, 356)

Como el autor maneja los elementos de la descripción física del
lugar, también puede prescindir de ellos cuando quiere. Laforet, en
el cuento aludido nos coloca primero dentro de una realidad concreta, visible y tangible; pero luego la deja para adentrarnos en otra
realidad, la interior, la soñada por su protagonista.

En otros casos, el de Miguel de Unamuno, por ejemplo, la descripción física apenas entra. A veces no hay referencia alguna a los
cinco sentidos porque a Unamuno le interesa más que nada lo
interior, las facciones morales, la angustia metafísica de sus criaturas,
que no su contacto con el medio ambiente.

Paisaje

Quizá el extremo opuesto al de Unamuno es el de los regionalistas del siglo XIX. En algunas obras el paisaje no es sólo un lugar concreto, descrito con detalle y con amor; no sólo es el trasfondo, la escena de la acción, sino que llega a tener una importancia superior a la de los personajes. Puede, como en el caso de José María de Pereda, subrayar su tesis, simbolizando las grandes pero sencillas virtudes de la vida rural en contraste con los vicios urbanos.

Pero lo verdaderamente admirable y maravilloso de aquel inmenso panorama era cuanto abarcaban los ojos por el norte y por el este. En lo más lejano de él, pero muy lejano, y como si fuera el comienzo de lo infinito, una faja azul recortando el horizonte; aquella faja era el mar Cantábrico; hacia su último   5
tercio, por la derecha, y unida a él como una rama al tronco de que se nutre, otra mancha menos azul, algo blanquecina, que se internaba en la tierra y formaba en ella como un lago: la bahía de Santander. Pero es el caso (y aquí estaba la verdadera originalidad del cuadro, lo que más me des-   10
orientaba en él y me sorprendía) que la faja azul se presentaba a mis ojos mucho más elevada que el perfil de la costa, y que con ella se fundían otras mucho más blancas que iban extendiéndose y prolongándose hacia nosotros, quedando entre la mayor parte de ellas islotes de las más extrañas   15
formas; picos y hasta cordilleras que parecían surgir de una repentina inundación. (delR-2, 318)

PREGUNTAS

1. ¿De qué maneras limita el autor el espacio de su obra? ¿Corresponden las limitaciones a teorías o a escuelas literarias?
2. ¿Parece difusa o centralizada la obra por sus referencias espaciales? Estas referencias espaciales, ¿pretenden ser completas o son claramente selectivas y fragmentarias?
3. ¿Qué impresión habrá querido dar el autor manejando así sus referencias espaciales?
4. ¿Qué recursos emplea el autor para llevarnos de un lugar a otro? ¿Es un método dramático o narrativo?
5. ¿Hasta que punto apela el autor a nuestros cinco sentidos en esta obra?
6. ¿Logra la participación de los sentidos de una manera especial?

7. ¿Hay predominio o falta de uno o de todos los sentidos? Este predominio o esta falta, ¿corresponde a otro propósito del autor?

8. ¿Maneja el autor de una manera notable la luz y la oscuridad en esta obra? ¿Con qué propósitos?

9. ¿Cuál es la importancia del paisaje en esta obra? ¿Es un paisaje literario y convencional, un paisaje organizado con deliberación o un paisaje presentado de una manera muy personal? A base de los apuntes del autor, ¿sería posible dibujar gráficamente alguna escena de la obra?

10. ¿Esta obra es más bien espacial o temporal? ¿Es posible decir que un aspecto es más importante que el otro? ¿Cuál es, en fin, el papel del espacio en esta obra: simple trasfondo, símbolo, colorido local, tema principal, etc.?

Punto de vista

El concepto de punto de vista, término relativamente nuevo, se emplea principalmente para el estudio de la narrativa y no del teatro.

El término «punto de vista» del creador de la ficción no tiene que ver con la opinión, la actitud, los sentimientos del autor en relación con su materia; no es un término afectivo. Es más bien un término técnico, empleado para denominar la relación técnica entre el autor mismo como artista y la manera, el recurso narrativo que emplea para relatarnos su cuento o su novela. Para precisar el punto de vista que emplea un autor, tenemos que contestar las preguntas, ¿quién cuenta? y ¿desde dónde?

El caso más conocido de un punto de vista determinado, empleado abiertamente para relatar una serie de aventuras ficticias, es el del *Quijote*. ¿Quién cuenta? No es Miguel de Cervantes, según hubiéramos querido contestar sin pensarlo bien. Es Cidi Hamete

Benengeli, historiador arábigo inventado por Cervantes como supuesto autor de la «historia» de don Quijote de la Mancha. «Y así, prosiguiendo su historia, [el autor] dice: que así como don Quijote se emboscó en la floresta, encinar, o selva junto al gran Toboso, mandó a Sancho volver a la ciudad . . .» (delR-1, 421) (P-1, 216)

¿Desde dónde cuenta? Desde el punto de vista de un historiador que consulta muchos manuscritos y muchas otras fuentes para buscar la verdad. «Puesto nombre, y tan a su gusto, a su caballo, quiso ponérselo a sí mismo, y en este pensamiento duró otros ocho días, y al cabo se vino a llamar don Quijote; de donde, como queda dicho, tomaron ocasión los autores de esta tan verdadera historia que, sin duda, se debía de llamar Quijada, y no Quesada, como otros quisieron decir.» (B, 214) (delR-1, 416) (P-1, 204) El punto de vista empleado por Cervantes es entonces, el de un narrador exterior, ficticio, que narra en tercera persona, limitándose a los manuscritos imaginados de la también imaginada historia. Sin embargo, como veremos, Cervantes parece olvidar a menudo su técnica; Cidi Hamete desaparece durante largas páginas, y parece que es el autor mismo quien narra, siempre en tercera persona. Por otra parte, en varias ocasiones hay intervenciones personales del narrador donde se revela brevemente en primera persona, como en la bien conocida primera frase «En un lugar de la Mancha, de cuyo nombre no quiero acordarme, no ha mucho tiempo que vivía un hidalgo de los de lanza en astillero, adarga antigua, rocín flaco y galgo corredor.» (delR-1, 414) (P-1, 202)

Otro punto de vista muy empleado en la ficción es el de la narración en primera persona. Según esta técnica, el narrador es, él mismo, el protagonista o quizá un personaje de menos importancia. Un buen ejemplo, también de la literatura clásica, es *Lazarillo de Tormes*. En esta, la primera de las novelas picarescas, es Lázaro mismo quien narra sus aventuras en forma de largas epístolas dirigidas a un supuesto protector.

Desde luego, el autor no está obligado a limitarse al empleo de un solo punto de vista durante toda una obra. Lo más común es que varíe su técnica narrativa, o poco o mucho, según su materia y el efecto que quiera lograr.

Los puntos de vista principales empleados en la ficción narrativa pueden dividirse, como hemos visto, en dos clases: narraciones en tercera persona y narraciones en primera persona. También es posible señalar matices de cierta importancia dentro de cada una de las dos clasificaciones.[1]

Narraciones en tercera persona

Uno de los puntos de vista más comunes dentro de las narraciones en tercera persona es la omnisciencia editorial. Se dice omnisciencia porque el narrador no se limita ni en el tiempo ni en el espacio ni en la psicología. Penetra en el cerebro o en el corazón de sus personajes para transcribir o resumir sus pensamientos y sus sentimientos. Se dice editorial porque comenta y juzga abiertamente a sus personajes, sus modos de ser y de actuar.

El siguiente pasaje narrativo de *Torquemada en la hoguera* ilustra bien el empleo de la omnisciencia.

Corrió hacia su casa, y contra su costumbre (pues era hombre que comúnmente prefería despernarse a gastar una peseta), tomó un coche para llegar más pronto. El corazón dió en decirle que encontraría buenas noticias, el enfermo aliviado, la cara de Rufina sonriente al abrir la puerta; y en su   5
impaciencia loca, parecíale que el carruaje no se movía, que el caballo cojeaba y que el cochero no sacudía bastantes palos al pobre animal . . . «Arrea, hombre. ¡Maldito jaco! Leña en él — le gritaba — . Mira que tengo mucha prisa.»
Llegó por fin; y al subir jadeante la escalera de su casa,   10
razonaba sus esperanzas de esta manera: «No salgan ahora diciendo que es por mis maldades, pues de todo hay . . .»
¡Qué desengaño al ver la cara de Rufina tan triste, y al oír aquel lo mismo, papá, que sonó en sus oídos como fúnebre campanada! Acercóse de puntillas al enfermo y le examinó.   15
Como el pobre niño se hallara en aquel momento amodorrado, pudo don Francisco observarle con relativa calma, pues cuando deliraba y quería echarse del lecho, revolviendo en torno los espantados ojos, el padre no tenía valor para presenciar tan doloroso espectáculo y huía de la alcoba   20
trémulo y despavorido. Era hombre que carecía de valor para afrontar penas de tal magnitud, sin duda por causa de su

[1] Para un estudio más amplio véase el estudio de Norman Friedman, «Point of View in Fiction. The Development of a Critical Concept», *PMLA*, LXX (1955), 1160-84.

deficiencia moral; se sentía medroso, consternado, y como
responsable de tanta desventura y dolor tan grande. (P-2,
471-2) (M-2, 109-110)

El empleo de la actitud editorial en Galdós no se ve tanto en
comentarios abiertos y apartes, sino más bien en alusiones breves
pero constantes durante la narración. Así vemos muy bien la opinión
crítica de Galdós al relatar las peripecias de una familia venida a
menos:

> Después le cayó la herencia de un tío; pero como la señora
> tenía unos condenados jueves para reunir y agasajar a la
> mejor sociedad, los cuartos de la herencia se escurrían de lo
> lindo, y sin saber cómo ni cuándo, fueron a parar al bolsón
> de Torquemada. Yo no sé qué demonios tenía el dinero de   5
> aquella casa, que era como un acero para correr hacia el imán
> del maldecido prestamista. Lo peor del caso es que aun
> después de hallarse la familia con el agua al pescuezo, todavía
> la tarasca aquella tan *fashionable* encargaba vestidos a París,
> invitaba a sus amigas para un *five o'clock tea*, o imaginaba 10
> cualquier otra majadería por el estilo. (P-2, 479)

Hay que señalar otra vez, sin embargo, que no es obligatorio
mantener un mismo punto de vista durante toda una obra. Galdós,
por ejemplo, a pesar de su empleo de la omnisciencia editorial en
varias ocasiones, también se permite una intervención personal de
primera persona en la narración. «Basta de matemáticas, digo yo
ahora, pues me urge apuntar que Torquemada vivía en la misma casa
de la calle de Tudescos donde le conocimos cuando fué a verle la de
Bringas para pedirle no recuerdo qué favor, allá por el 68; y tengo
prisa por presentar a cierto sujeto que conozco hace tiempo, y que
hasta ahora nunca menté para nada . . . » (P-2, 462) Aquí el narrador
parece ser un simple observador que relata lo que ha visto y lo que le
han comunicado otros, sin intervenir de ninguna manera en la
acción, y sin ser afectado por ella. Prescinde, entonces, de sus
privilegios de omnisciencia para convertirse en lo que pudiéramos
llamar «humilde narrador».

También en las narraciones en tercera persona hay una omnisciencia neutra. En este punto de vista se prescinde de todo comentario o juicio abierto por parte del narrador. (Desde luego, el
autor-narrador tiene opiniones y comentarios que a veces puede
dejar escapar a pesar de sus intentos objetivos.) La omnisciencia

neutra es el punto de vista que procuraban mantener los naturalistas. Según Émile Zola el narrador-autor debe mantener una actitud fría, objetiva, clínica. En la literatura española el que más se acerca al empleo de este punto de vista en sus obras es Blasco Ibáñez. Vean ustedes este ejemplo de *La barraca*.

Los que compraban las hortalizas al por mayor para revenderlas conocían bien a esta mujercita que antes del amanecer ya estaba en el mercado de Valencia, sentada en sus cestos, tiritando bajo el delgado y raído mantón. Miraba con envidia, de la que no se daba cuenta, a los que podían beber 5
una taza de café para combatir el fresco matinal. Y con una paciencia de bestia sumisa esperaba que le diesen por las verduras el dinero que se había fijado en sus complicados cálculos, para mantener a Toni y llevar la casa adelante.

Después de esta venta corría otra vez hacia su barraca, 10
deseando salvar cuanto antes una hora de camino.

Entraba de nuevo en funciones para desarrollar una segunda industria: después de las hortalizas, la leche. Y tirando del ronzal de una vaca rubia que llevaba pegado al rabo como amoroso satélite un ternerillo juguetón, volvía a la 15
ciudad con la varita bajo el brazo y la medida de estaño para servir a los clientes.

La Rocha, que así apodaban a la vaca por sus rubios pelos, mugía dulcemente, estremeciéndose bajo una gualdrapa de arpillera, herida por el fresco de la mañana, volviendo sus 20
ojos húmedos hacia la barraca, que se quedaba atrás, con su establo negro, de ambiente pesado, en cuya paja olorosa pensaba con la voluptuosidad del sueño no satisfecho.

Pepeta la arreaba con su vara. Se hacía tarde, e iban a quejarse los parroquianos. Y la vaca y el ternerillo trotaban 25
por el centro del camino de Alboraya, hondo, fangoso, surcado de profundas carrileras. (delR-2, 401-2)

En este pasaje Blasco Ibáñez no juzga a sus personajes y emplea la misma técnica para describir a la mujer y a la vaca. Pero no puede mantener esta omnisciencia neutra siempre. A Blasco Ibáñez se le escapa siempre su sensibilidad poética cuando describe el paisaje de la huerta de Valencia.

Desperezóse la inmensa vega bajo el resplandor azulado del amanecer, ancha faja de luz que asomaba por la parte del Mediterráneo . . .

Apagábanse lentamente los rumores que habían poblado

la noche: el borboteo de las acequias, el murmullo de los   5
cañaverales, los ladridos de los mastines vigilantes.
Despertaba la huerta, y sus bostezos eran cada vez más
ruidosos. Rodaba el canto del gallo de barraca en barraca.
Los campanarios de los pueblecitos devolvían con ruidoso
badajeo el toque de misa primera que sonaba a lo lejos, en las   10
torres de Valencia, esfumadas por la distancia. De los corrales
salía un discordante concierto animal: relinchos de caballos,
mugidos de vacas, cloquear de gallinas, balidos de corderos,
ronquidos de cerdos; un despertar ruidoso de bestias que, al
sentir la fresca caricia del alba cargada de acre perfume de   15
vegetación, deseaban correr por los campos. (delR-2, 401)

La Pardo Bazán, que también seguía la técnica naturalista, hasta
cierto punto, muestra aun más su sensibilidad poética al describir el
paisaje. El ejemplo es de *Un destripador de antaño*.

El complemento del asunto — gentil, lleno de poesía,
digno de que lo fijase un artista genial en algún cuadro
idílico — era una niña como de trece a catorce años, que
sacaba a pastar una vaca por aquellos ribazos siempre tan
floridos y frescos, hasta en el rigor del estío, cuando el   5
ganado languidece por falta de hierba. — Minia encarnaba el
tipo de la pastora: armonizaba con el fondo. En la aldea la
llamaban roxa, pero en sentido de rubia, pues tenía el pelo
del color del cerro que a veces hilaba, de un rubio pálido,
lacio, que a manera de vago reflejo lumínico rodeaba la carita,   10
algo tostada por el sol, oval y descolorida, donde sólo bri-
llaban los ojos con un toque celeste, como el azul que a veces
se entrevé al través de las brumas del montañés celaje. (PN-1,
352-3)

Conviene añadir que el punto de vista de la Pardo Bazán no debe
considerarse omnisciencia neutra ya que hace muchos comentarios
morales.

El narrador en tercera persona tiene una absoluta libertad. Puede
contar y comentar todo lo referente a todos los personajes, si quiere
gastar las páginas necesarias. Claro, también tiene la libertad de
limitarse, de prescindir de sus derechos, por razones estéticas o de
conveniencia. Así, por ejemplo, si se vale de su posición omnisciente
con un sólo personaje, el principal, podemos decir que su punto de
vista es omnisciencia selectiva. Si penetra en el cerebro y en el

corazón de varios personajes, pero sólo en determinadas ocasiones, su punto de vista es omnisciencia selectiva múltiple. El lector imaginativo bien podrá discernir otras variaciones.

Algunos autores pretenden no delatar la presencia de narrador alguno en sus prosas. No sólo intentan guardar una objetividad personal absoluta, sino que quieren que como narrador también pase inadvertido en la narración. El narrador es limitado, entonces, a un papel de simple relatador; no penetra en lo interior de sus personajes, no comenta, no opina, ni interpreta, ni siquiera resume; sólo relata. No se permite decir, por ejemplo, «Juan le replicó con coraje», porque decir «con coraje» es hacer interpretar al narrador. Tendría que decir simplemente, «Juan le replicó», agregando quizá, «en voz muy alta», refiriendo después las palabras de su respuesta.

En la literatura mundial, un escritor conocido por su empleo de este punto de vista es Ernest Hemingway. En la literatura española no hay muchos ejemplos bien conocidos. Se ve a veces en la pretendida objetividad clínica de los naturalistas, aunque la presencia del narrador se suele notar brevemente. Sin embargo es posible citar un par de ejemplos en unas obras un tanto especiales. En una de sus primeras novelas, *Paradox, rey*, Baroja emplea una técnica curiosa, una técnica pseudo dramática. Primero se limita a describir brevemente la escena y los personajes y después los deja hablar y accionar sin intervención alguna. En la segunda parte, como pueden comprobar en la cita, hay una objetividad absoluta muy semejante a la de Hemingway.

En el gran salón de Fortunate-House se han reunido todos los europeos, más Ugú, que ha sido admitido a las deliberaciones. Paradox actúa de presidente.

GANEREAU — Pido la palabra para una cuestión previa.

PARADOX — Tiene la palabra Ganereau.   5

GANEREAU — Señores: Yo no comprendo por qué vamos a seguir al pie de la letra lo dicho por los sublevados.

Al pedir éstos un rey, lo que quieren indicar es que necesitan un gobierno; y creo que mejor que un gobierno personal es una república.   10

GOIZUETA — A mí me parece todo lo contrario.

HARDIBRÁS — A mí también.

SIPSOM — Además, el deseo de ellos es explícito: quieren un rey.

GANEREAU — ¡Un rey! ¿Para qué sirve un rey?   15

PARADOX — Hombre, sirve poco más o menos para las

mismas cosas que un presidente de la república; para
cazar conejos, para matar pichones y hasta en algunos
casos, según se dice, han servido para gobernar.

GANEREAU — A mí, mi dignidad no me permite obedecer a 20
un rey.

PARADOX — ¡Si no se obedece en ningún país al rey! Se
obedece a una serie de leyes. En eso nada tiene que ver la
dignidad. En todos los pueblos de Europa tenemos por
jefe de Estado una especie de militar vestido de 25
uniforme, con toda una quincallería de cruces y de
placas en el pecho, y ustedes tienen una especie de
notario de frac y de sombrero de copa con una cinta en
el ojal.

GANEREAU — No estoy conforme. 30

PARADOX — Pues es igual. (delR-2, 515)

Por lo general las direcciones escenográficas son escasas y los
pasajes de diálogo extensos, no percibiéndose la presencia de ningún
narrador. Valle-Inclán en algunas obras se valió de la misma técnica
como pueden ver en *Romance de lobos*, la última de sus comedias
bárbaras.

Resuenan en el ancho zaguán los golpes del Caballero.
Ante la puerta hostil y cerrada, se levanta, como un oleaje, el
vocerío de la hueste mendicante y los viejos criados,
despedidos de la casona.

LA VOZ DE TODOS — ¡Abran a su padre! ¡Abran a su 5
padre!

EL CABALLERO — ¡Derribad la puerta! ¡Mis verdaderos
hijos sois vosotros!

LA VOZ DE TODOS — ¡Tengan caridad para su padre!
¡Caridad y respeto! ¡Caridad y respeto! 10

EL CABALLERO — ¡Eso lo da sólo el amor!
Por las mejillas del viejo linajudo ruedan dos lágrimas que
se pierden en la nieve de su barba. Los mendigos y los criados
se arrojan sobre la puerta

LA VOZ DE TODOS — ¡Tengan ley de Dios! 15

EL CABALLERO — ¡Dadme una hacha!

LA VOZ DE TODOS — ¡Tengan ley de Dios!

EL CABALLERO — ¡Poned fuego a la casa por sus cuatro
esquinas! ¡Perezcan entre llamas los hijos del Infierno! (delR-2, 504) 20

Repetimos que esta técnica no es muy común, Baroja sólo la usó en dos o tres novelas, pero sirve como ejemplo de la objetividad absoluta.

Este punto de vista, objetividad absoluta o modo dramático, pretende tener el mismo efecto que el teatro. Deja hablar y actuar a los personajes; no hay comentarios ni interpretaciones. El lector, entonces, como el público en el teatro, reacciona a su modo ante la narración de lo exterior, los acontecimientos vistos y las palabras oídas.

Narraciones en primera persona

La separación entre las narraciones en tercera persona y las de primera persona no tiene que ser y no es absoluta. Ya hemos visto que dentro de la omnisciencia editorial de Galdós surge a veces un humilde narrador que habla en primera persona. Este humilde narrador tiene cierta relación con el punto de vista del yo-testigo.

A veces el narrador está, o estaba presente durante la acción que va narrando. Es testigo de los hechos, testigo ocular, o de oídas, o por medio de cartas y otros documentos que maneja. Puede intervenir en la acción y es afectado por ella, aunque en menor grado. No es el protagonista. Este es el punto de vista del yo-testigo.

Buenos ejemplos son la carta introductora al cuento «El doble sacrificio» de Juan Valera, y la carta final. La primera va dirigida al protagonista, don Pepito, castigándole por haberse enamorado de doña Juana, mujer casada.

Málaga, 4 de abril de 1842.

Mi querido discípulo: Mi hermana, que ha vivido más de veinte años en ese lugar, vive hace dos en mi casa, desde que quedó viuda y sin hijos. Conserva muchas relaciones, recibe con frecuencia cartas de ahí y está al corriente de todo. Por 5 ella sé cosas que me inquietan y apesadumbran en extremo. ¿Cómo es posible, me digo, que un joven tan honrado y tan temeroso de Dios, y a quien enseñé yo tan bien la metafísica y la moral, cuando él acudía a oír mis lecciones en el Seminario, se conduzca ahora de un modo tan pecaminoso? 10 (PN-1, 221)

La última carta es de doña Juana, dirigida a la hermana del autor de la primera carta, acerca de los supuestos amores de don Pepito.

4 de mayo.

Mi bondadosa amiga: Para desahogo de mi corazón, he de
contar a usted cuanto ha ocurrido. Siempre he sido modesta.
Disto mucho de creerme linda y seductora. Y, sin embargo,
yo no sé en qué consiste; sin duda, sin quererlo yo y hasta sin   15
sentirlo se escapa de mis ojos un fuego infernal que vuelve
locos furiosos a los hombres. Ya dije a usted la vehemente y
criminal pasión que en Carratraca inspiré a D. Pepito, y lo
mucho que éste me ha solicitado, atormentado y perseguido
viniéndose a mi pueblo. (PN-1, 227)   20

Como es de imaginarse, lo que narran estos dos «testigos», y lo
que cuentan las cartas de don Pepito mismo, se combinan para
formar un cuento admirable.

Otros ejemplos de esta técnica, aunque no en forma de cartas, son
el cuento «*La buena gloria*» de José María de Pereda (P-2, 497-503)
y el ingenioso capítulo de la novela *Niebla*, de Miguel de Unamuno,
donde el protagonista entabla un diálogo con el autor-narrador.

Aquella tempestad del alma de Augusto terminó, como en
terrible calma, en decisión de suicidarse. Quería acabar consigo mismo, que era la fuente de sus desdichas propias. Mas
antes de llevar a cabo su propósito, como el náufrago que se
agarra a una débil tabla, ocurriósele consultarlo conmigo, con   5
el autor de todo este relato. Por entonces había leído
Augusto un ensayo mío en que, aunque de pasada, hablaba
del suicidio, y tal impresión pareció hacerle, así como otras
cosas que de mí había leído, que no quiso dejar este mundo
sin haberme conocido y platicado un rato conmigo. Em-   10
prendió, pues, un viaje acá, a Salamanca, donde hace más de
veinte años, vivo, para visitarme. (delR-2, 490)

Quizá más común que la técnica anterior, la de yo-protagonista es
típica de la novela picaresca como vemos en este trozo de *Lazarillo
de Tormes*. «Así como he contado, me dejó mi pobre tercer amo, de
lo que acabé de conocer mi ruin dicha. Pues señalándose todo lo que
podía contra mí, hacía mis negocios tan al revés que los amos, que
suelen ser dejados de los mozos, en mí no fuese así, mas que mi amo
me dejase y huyese de mí. (B, 191) (delR-1, 348) (P-1, 103) (M-1,
193)

Otros ejemplos más modernos son la sección de las cartas en
Pepita Jiménez de Juan Valera (delR-2, 291) (P-2, 386) y las obras

en forma de memorias de Ramón del Valle-Inclán (delR-2, 496) (P-2, 524).

Naturalmente, el narrador en primera persona no tiene que ser el autor mismo, ni tampoco tiene que reflejar directamente las actitudes e ideas del autor. Nadie cree, por ejemplo, que el elegante autor anónimo del *Lazarillo* fuera de veras un sinvergüenza, hijo de pobres molineros, mendigo en las calles de Toledo, etc. El lector perspicaz, por eso, al leer una narración ficticia en primera persona, tiene que distinguir bien entre la personalidad del autor y la del narrador. Y al ir conociendo al narrador, tiene que formarse una opinión de él para saber interpretar lo que relata. El narrador bien puede ser, por ejemplo, un pícaro, un mentiroso, un aristócrata, y hasta, en la literatura moderna, un enfermo mental.

Otro ejemplo de las narraciones en primera persona es el yoísmo. Este término, inventado por Azorín se emplea para denominar la técnica del autor-narrador-protagonista cuando habla directa y abiertamente con el lector.

YO NO SÉ SI ESCRIBIR . . .

Lector: yo soy un pequeño filósofo; yo tengo una cajita de plata de fino y oloroso polvo de tabaco, un sombrero grande de copa y un paraguas de seda con recia armadura de ballena. Lector: yo emborrono estas páginas en la pequeña   5
biblioteca del Collado de Salinas. Quiero evocar mi vida. Es medianoche; el campo reposa en un silencio augusto; cantan los grillos en un coro suave y melódico; las estrellas fulguran en el cielo fuliginoso; de la inmensa llanura de las viñas sube una frescor grata y fragante. (PN-2, 143)   10

Como es evidente, aquí la novela en el sentido tradicional de narración de la vida de varios personajes ficticios se deshace, o se convierte en una especie de ensayo familiar.

En cierta ficción, sobre todo desde la generación del 98, el autor-narrador tiene una personalidad fuerte e interesante, que no es la del protagonista. El lector se interesa tanto, o más en el autor y en sus comentarios. Se establece, pues, un triángulo autor-lector-protagonista, como en este trozo de *El árbol de la ciencia* de Pío Baroja.

Si en Francia o en Alemania no hablaban de las cosas de España, o hablaban de ellas en broma, era porque nos odiaban; teníamos aquí grandes hombres que producían la

envidia de otros países: Castelar, Cánovas, Echegaray . . .
España entera, y Madrid, sobre todo, vivía en un ambiente de   5
optimismo absurdo, todo lo español era lo mejor.

Esa tendencia natural a la mentira, a la ilusión del país
pobre que se aísla, contribuía al estancamiento, a la fosilifica-
ción de las ideas.

Aquel ambiente de inmovilidad, de falsedad, se reflejaba   10
en las cátedras. Andrés Hurtado pudo comprobarlo al
comenzar a estudiar Medicina. Los profesores del año pre-
paratorio eran viejísimos; había algunos que llevaban cerca de
cincuenta años explicando.

Sin duda no los jubilaban por sus influencias y por esa   15
simpatía y respeto que ha habido siempre en España por lo
inútil. (PN-2, 92)

Notará en seguida el estudiante que este triángulo es más fuerte,
más íntimo y familiar que el que procura establecer el autor tradicional cuando se dirige al lector con su fórmula, «querido lector».

Punto de vista individual

En todo este capítulo hemos procurado limitarnos al punto de
vista técnico, separándolo siempre de todo valor afectivo como
actitud y opinión. Hemos dado las grandes categorías de estos
puntos de vista, los lugares estratégicos donde se coloca el autor para
crear su obra. Dentro de estas categorías, sin embargo, existe un
número infinito de puntos de vista individuales. De hecho hay tantos
puntos de vista individuales como hay escritores. Cada autor adopta
un punto de vista técnico, se coloca fuera o dentro de la obra, etc.,
pero su ángulo de visión es particular. Por razones de temperamento,
herencia, experiencias vitales y hasta artísticas, ve su mundo con un
astigmatismo propio, particular de él. Claro que en este punto de
vista entran la opinión, el prejuicio, el odio y el amor, en fin, todos
los sentimientos personales.

Seguramente el tono de una obra literaria proviene de muchos
aspectos como el nivel retórico, número y tipo de personajes, pero el
punto de vista individual entra con vigor en la formación de este
tono, esta atmósfera, este no sé qué de cada obra. Conviene aclarar
ahora que el tono no es un aspecto que maneja el autor en la
creación literaria. No es parte del *modus operandi* creador sino el
resultado de ello. Resulta fácil ver lo individual en el yoísmo y como
esto afecta intensamente el tono de la obra. En el yoísmo el autor,

hablando como autor, no esconde su personalidad. Así el yoísmo fuera de época de Mariano José de Larra será amargo, el de Azorín, delicado, el de Baroja, pues, misántropo y vasco, vasco con boina y todo. Los adjetivos que describen el tono de las obras de estos escritores corresponden a los del punto de vista individual. Aunque no tan aparente y fácil un poco de reflexión y estudio revelará lo individual en los otros puntos de vista. Galdós en *Doña Perfecta* y Valera en *Pepita Jiménez* adoptan el punto de vista de omnisciencia, pero Galdós solamente ve la falta de humanidad, religión, cultura y Valera ve todo lo opuesto. El naturalismo, según la teoría expuesta por Émile Zola y seguida por muchos, exige un punto de vista objetivo, frío, clínico, científico, es decir un punto de vista único sin posibilidad de individualización. Nosotros creemos que no existe tal cosa. En el cuento *La cencerrada* Blasco Ibáñez adopta el punto de vista recomendado por los naturalistas y la Pardo Bazán hace lo mismo en «Un destripador de antaño». Los dos cuentos tienen que ver con gente egoísta, seres que se parecen mucho a los animales y sólo piensan en su bienestar físico. Sin embargo, la sensibilidad de cada autor les traiciona en su afán de objetividad y revela claramente lo individual de su punto de vista. Ibáñez insiste mucho en lo feo y lo sensual.

Llegó el instante solemne, y las paellas burbujeantes y despidiendo azulado humo fueron colocadas sobre la mesa.

. . . .

Con el pañuelo al pecho a guisa de servilleta, había bigardón que tragaba como un ogro, mientras las mujeres hacían dengues, llevándose a la boca la puntita de la cuchara con dos   5
granos de arroz, mostrando esa preocupación de la mujer campesina que considera como una falta de pudor el comer mucho en público.

. . . .

Caían los cristales de las alacenas hechos añicos; quebrábanse los vasos; un ruido de tiestos sonaba continu-   10
amente, y los campeones se enardecían, hasta el punto de que, no encontrando confites a mano, se arrojaban los restos de bizcochos y los fragmentos de platos.

—*Prou; ya teníu prou* — gritaba el tío *Sento*, cansado de sufrir golpes.   15
Y en vista de que le desobedecían púsose en pie, y a empellones los echó al corral, donde los enardecidos mozos

continuaron la fiesta, arrojándose proyectiles menos limpios. (PN-1, 248, 249, 252)

Las víctimas, siempre las hay en la obra naturalista, son seres que por su naturaleza y faltas despiertan poca simpatía: un joven vagabundo y un viejo verde. La Pardo Bazán, tratando de gente aun más egoista y bruta, ve siempre lo bonito.

> Un paisajista sería capaz de quedarse embelesado si viese aquel molino de la aldea de Tornelos .... ¡Cuán gallardo y majestuoso se perfilaba sobre la azulada cresta del monte, medio velado entre la cortina gris del humo que salía, no por la chimenea — pues no la tenía la casa del molinero, ni aun hoy la tienen muchas casas de aldeanos de Galicia — , sino por todas partes, puertas, ventanas, resquicios del tejado y grietas de las desmanteladas paredes!   ⎸ 5
>
> El complemento del asunto — gentil, lleno de poesía, digno de que lo fijase un artista genial en algún cuadro idílico — era una niña como de trece a catorce años, que sacaba a pastar una vaca por aquellos ribazos siempre tan floridos y frescos, hasta en el rigor del estío, cuando el ganado languidece por falta de hierba. (PN-1, 352-353)   10

Notemos también que otra víctima aquí va a ser una niña de trece a catorce años, que, sin la intervención de la autora, despertará la compasión del lector. Dos autores, adoptando el mismo punto de vista técnico logran tonos muy distintos.

Perspectivismo

Con el término perspectivismo queremos denominar el juego o la relación de puntos de vista que controla el autor en una obra, como en el cuento *El doble sacrificio* que ya hemos citado. La gracia del cuento radica precisamente en la nueva perspectiva que nos da la lectura de cartas manifestando tres puntos de vista distintos.

También perspectivismo puede denominarse al juego o a la relación de lo que dicen y hacen dos o más personajes. El ejemplo clásico es el *Quijote*, donde vemos no solamente la realidad según don Quijote (como en el caso del yelmo de Mambrino), sino también según Sancho (y el bacín del barbero). Es, pues, una realidad de doble perspectiva. Y si incluimos a la multitud de personajes secundarios en nuestra discusión, vemos que es mucho más complejo el problema. Don Quijote atrae, desde luego, la atención de todos.

Todos le ven, hablan de él y con él, reaccionan a su manera, revelan nuevas facetas de don Quijote y salen de su encuentro afectados y cambiados en mayor o menor grado. Don Quijote es el protagonista, y es el centro de una realidad de perspectiva múltiple. Este perspectivismo puede tener mucha importancia en el teatro y en la técnicas dramáticas ya que cada personaje puede representar un distinto punto de vista.

PREGUNTAS

1. ¿Cuál es el punto de vista principal empleado en esta obra? ¿Dónde está el narrador? ¿Está dentro de su obra o fuera de ella? ¿Y el autor?

2. ¿Equivale a una de las clasificaciones explicadas en nuestro texto? ¿Qué innovaciones o variaciones hay?

3. ¿Emplea el autor un solo punto de vista en toda la obra?

4. Si hay cambios de punto de vista narrativo, ¿corresponden claramente a otro aspecto de la obra — caracterización, tiempo, determinado momento de la trama, etc.?

5. Si la narración está en tercera persona, ¿hasta qué punto se nota la presencia del autor-narrador? ¿Es por alusión y sugerencia o es por intervención directa?

6. Si la narración está en primera persona, ¿cuál es el carácter del narrador?

7. El narrador, por su aparente personalidad, bien o mal marcada, ¿le inspira confianza, reserva, repugnancia, o confusión? Precícese y explíquese. ¿Qué adjetivos emplearía para limitar y describir el punto de vista individual?

8. ¿Cuál es la naturaleza del perspectivismo de la obra, si lo hay en forma importante?

9. El punto de vista adoptado, ¿ha dificultado al autor en algún aspecto de su labor creadora? ¿Le ha ayudado de una manera notable?

10. ¿Qué importancia tiene el concepto de punto de vista para un estudio de esta obra?

Proceder estilístico

La expresión atribuida a Buffón, «El estilo es el hombre», sugiere en forma breve la importancia de esta cuestión tan compleja y a veces poco precisa. Todo creador literario tiene un proceder estilístico propio; incluso el que más quiere imitar el estilo de otro lo tiene, porque, como ha dicho Baroja, aun el copista mete algo de sí mismo en la copia.

El término «estilo» aquí se refiere principalmente al lenguaje que emplea el escritor. Los atributos del estilo de un autor se deben, entonces, a los recursos lingüísticos que sabe emplear y al nivel retórico que mantiene con estos recursos. El efecto logrado estilísticamente a veces se denomina «tono». El término «tono» es algo más vago, desde luego, más personal. No responde tanto a los recursos estilísticos que maneja el autor y que analiza el lector, sino más bien a la reacción personal del lector ante el estilo de la obra. Así, por ejemplo, una obra determinada puede tener un tono íntimo, o falso, o agresivo, debido a elementos estilísticos.

Léxico

Para crear y mantener el nivel retórico, el estilo de su obra, uno de los factores que controla el autor es el léxico. La selección de palabras responde, consciente o inconscientemente, al tono que intenta lograr. Un estudio del léxico de un autor, entonces, puede mostrar fácilmente una predilección por ciertas agrupaciones o constelaciones de palabras, que a su vez sugieren el tono. En la literatura española las constelaciones que se destacan con más claridad son las que se forman en torno de (1) la honra y la nobleza, (2) la religión, (3) la guerra y el combate, (4) la erudición y la literatura misma, (5) el bien y la belleza. En el párrafo que sigue hemos subrayado todos los términos que tienen que ver con la nobleza y la honra.

— Has de saber, amigo Sancho Panza, que fue costumbre muy usada de los *caballeros andantes* antiguos hacer *gobernadores* a sus *escuderos* de las ínsulas o *reinos* que ganaban, y yo tengo determinado de que por mí no falte tan agradecida usanza; antes pienso aventajarme en ella: porque ellos algunas 5 veces, y quizá las más, esperaban a que sus *escuderos* fuesen viejos, y ya después de hartos de servir y de llevar malos días y peores noches, les daban algún título de *conde*, o, por lo mucho, de *marqués*, de algún valle o provincia de poco más a menos; pero si tú vives y yo vivo, bien podría ser que antes 10 de seis días ganase yo tal *reino*, que tuviese otros a él adherentes, que viniesen de molde para *coronarte rey* de uno de ellos. Y no lo tengas a mucho; que cosas y casos acontecen a los tales *caballeros*, por modos tan nunca vistos ni pensados, que con facilidad te podría dar aun más de lo que te 15 prometo.

— De esa manera — respondió Sancho Panza — si yo *fuese rey* por algún milagro de los que *vuestra merced* dice, por lo menos Juana Gutiérrez mi oíslo vendría a ser *reina*, y mis hijos *infantes*. 20

— Pues ¿quién lo duda? — respondió don Quijote.

— Yo lo dudo — replicó Sancho Panza — porque tengo para mí que, aunque lloviese *Dios reinos* sobre la tierra, ninguno asentaría bien sobre la cabeza de Mari Gutiérrez. Sepa, señor, que no vale dos maravedís para *reina; condesa* le 25 caería mejor, y aun *Dios* y ayuda.

— Encomiéndalo tú a *Dios*, Sancho — respondió don Quijote — que *Él* dará lo que más te convenga; pero no apoques tu ánimo tanto, que te vengas a contentar con menos que con ser adelantado. (B, 217)(delR-1, 419-20) 30

Esta misma constelación puede encontrarse en todo el *Quijote* y en muchas otras obras como el *Cid, Fuenteovejuna*, etc. La frecuencia de los vocablos que tienen que ver con la nobleza ayuda a mantener el alto nivel retórico de toda la obra. También ayudan bastante ciertos términos que tienen que ver con la guerra. Aparecen con mucha constancia en toda la obra. « — La *ventura* va guiando nuestras cosas mejor de lo que acertáramos a desear; porque ves allí, amigo Sancho Panza, donde se descubren treinta, o pocos más, *desaforados gigantes*, con quienes pienso hacer *batalla* y quitarles a todos *las vidas*, con cuyos *despojos* comenzaremos a enriquecer; que ésta es buena *guerra*, y *es gran servicio de Dios quitar* tan mala simiente de sobre la faz de la tierra.» (B, 218) (delR-1, 420) (M-1, 268) También en el *Quijote* se encuentra una gran cantidad de palabras que vienen de la literatura misma. Hay muchas referencias eruditas a otras obras de literatura, especialmente a las novelas de caballerías. He aquí una bien conocida cita de una novela de caballerías de Feliciano de Silva. «Y de todos, ningunos le parecían tan bien como los que compuso el famoso Feliciano de Silva; porque la claridad de su prosa y aquellas intrincadas razones suyas le parecían de perlas, y más cuando llegaba a leer aquellos requiebros y cartas de desafíos, donde en muchas partes hallaba escrito: <La razón de la sinrazón que a mi razón se hace, de tal manera mi razón enflaquece, que con razón me quejo de la vuestra fermosura>.» (B, 210) (delR-1, 415) (P-1, 202) (M-1, 265-6) Ayudan también a mantener el nivel retórico las palabras que indican bien y belleza o que tienen buen sonido. Vemos la preocupación de Cervantes por esta constelación de palabras en el primer capítulo. «Llamábase *Aildonza Lorenzo*, y ésta le pareció ser bien darle título de señora de sus pensamientos; y, buscándole nombre que no desdijese mucho del suyo y que tirase y encaminase al de princesa y gran señora, vino a llamarla Dulcinea del Toboso, porque era natural del Toboso: nombre, a su parecer, *músico, y peregrino*, y significativo, como todos los demás que a él y a sus cosas había puesto.» (B, 215) (delR-1, 416) (P-1, 204-5) (M-1, 268) El empleo de estas palabras mantiene el nivel retórico aun cuando lo que describe Cervantes es bastante feo en sí. Es el caso de la moza asturiana. «Servía en la venta asimismo una moza asturiana, ancha de cara, llana de cogote, de nariz roma, del un ojo tuerta y del otro no muy sana. *Verdad es que la gallardía de su cuerpo suplía las demás faltas*: no tenía siete palmos de los pies a la cabeza, y las espaldas, que algún tanto le cargaban, la hacían mirar al suelo más de lo que ella quisiera. *Esta gentil moza . . .*» (B, 220)

Encontramos siglos después las mismas constelaciones de palabras. Son tan evidentes y frecuentes en *Pepita Jiménez* y en toda la obra de Valera como lo son en el *Quijote*. Este ejemplo con las palabras subrayadas es de «*El doble sacrificio.*»

> ...y apesadumbran en extremo. ¿Cómo es posible, me digo, que un joven tan *honrado* y tan *temeroso de Dios*, y a quien enseñé yo tan *bien la metafísica y la moral*, cuando él acudía a oír mis *lecciones* en el *Seminario*, se conduzca ahora de un modo tan *pecaminoso*? Me horrorizo de pensar en el   5
> peligro a que te expones de incurrir en los más espantosos *pecados*, de amargar la existencia de un anciano *venerable*, *deshonrando sus canas*, y de ser ocasión si no causa, de irremediables infortunios. Sé que frenéticamente enamorado de doña Juana, legítima esposa del rico labrador D. Gregorio,   10
> la persigues con *audaz* imprudencia y procuras *triunfar* de la *virtud* y de la *entereza* con que ella se te resiste. Fingiéndote ingeniero o perito agrícola, estás ahí enseñando a preparar los vinos y a enjertar las cepas en mejor vidueño; pero lo que tú enjertas es tu viciosa travesura, y lo que tú preparas es la   15
> desolación vergonzosa de un *varón excelente*, cuya sola culpa es *la de haberse casado, ya viejo, con una muchacha bonita y algo coqueta*. (PN-1, 221)

Es de notar que la escena nada tiene que ver con la guerra, pero prevalecen los términos de guerra y combate. Como es evidente estas palabras tienen estrecha relación con el sistema tradicional de valores en España.

Con la negación del viejo sistema de valores en la generación del 98 casi desaparecen estas cinco constelaciones de palabras. En el pasaje siguiente de *El árbol de la ciencia* no se ve ninguna.

> El domingo de Carnaval, después de salir de guardia del Hospital, fué Hurtado al baile. Eran ya las once de la noche. El sereno abrió la puerta. La casa de doña Leonarda rebosaba de gente; la había hasta en la escalera.
>
> Al entrar Andrés se encontró a Julio en un grupo de   5
> jóvenes a quienes no conocía. Julio le presentó a un saine-tero, un hombre estúpido y fúnebre, que a las primeras palabras, para demostrar sin duda su profesión, dijo unos cuantos chistes, a cuál más conocidos y vulgares. También le presentó a Antoñito Casares, empleado y periodista, hombre   10
> de gran partido entre las mujeres. (PN-2, 98)

Con la ausencia de estas cinco constelaciones de palabras, la ausencia de la frase cervantina y otros factores, el nivel retórico en las obras de Baroja y en muchos autores de la generación del 98 resulta más bajo. Es un tono menor, más íntimo y muchas veces más negativo.

Además de las constelaciones léxicas, otras facetas del léxico de un autor revelan bastante sobre el proceder estilístico que ha empleado para conseguir cierto tono. Por ejemplo el manejo de los verbos en Azorín y en Baroja revela dos procedimientos bastante distintos. En los pasajes que citaremos después, siempre con los verbos subrayados, podemos ver claramente que Azorín emplea una gran cantidad de verbos que indican solamente existencia, estado, apariencia y hechos. Usa muy pocos verbos de acción; de ahí proviene el tono estático de su obra. Baroja, en cambio, emplea muchos verbos de acción y movimiento, creando así una prosa más dinámica. El pasaje de Azorín es de *Las confesiones de un pequeño filósofo* y el de Baroja es de *Zalacaín, el aventurero*.

¡MENCHIRÓN!

La casa *tiene* un pequeño huerto detrás; *es* grande; enormes salas *suceden* a salas enormes; *hay* pasillos largos, escaleras con grandes bolas lucientes en los ángulos de la barandilla, cocinas de campana, caballerizas... Y en esta casa *vive* Menchirón. Al *escribir* este nombre, que *debe ser*   5
pronunciado enfáticamente – ¡Menchirón! –, *parece* que *escribo* el de un viejo hidalgo que *ha peleado* en Flandes. Y *es* un hidalgo, en efecto, Menchirón; pero un hidalgo viejo, cansado, triste, empobrecido, encerrado en este poblachón sombrío. Yo no *puedo olvidar* su figura: *era* alto y corpulento, *llevaba* siempre unas zapatillas viejas bordadas en   10
colores; no *usaba* nunca sombrero, sino una gorra, e *iba* *envuelto* en una manta que le *arrastraba* indolentemente... Este contraste entre su indumentaria astrosa y su alta alcurnia *causaba* un efecto prodigioso en mi imaginación de   15
muchacho. Luego *supe* que un gran dolor *pesaba* sobre su vida: en su enorme casa solariega *había* una habitación cerrada herméticamente; en ella *aparecía* una cama deshecha; sobre la mesa *se veían* frascos de medicamentos viejos, y sobre los muebles *destacaban* acá y allá ropas finas y suaves   20
de una mujer. (PN-2, 159)

¡Y qué rincones *conocía* Tellagorri! Como buen vagabundo, *era aficionado* a la contemplación de la naturaleza. El viejo y el muchacho *subían* a las alturas de la Ciudadela, y allá, tendidos sobre la hierba y las aliagas, *contemplaban* el   5
extenso paisaje. Sobre todo, las tardes de primavera *era* una maravilla. El río Ibaya, limpio, claro, *cruzaba* el valle por

entre heredades verdes, por entre filas de álamos altísimos, *ensanchándose* después, *convirtiéndose* en cascada de perlas *al caer* por la presa del molino. *Cerraban* el horizonte montes 10 ceñudos, y en los huertos *se veían* arboledas y bosquecillos de frutales.

El sol *daba* en los grandes olmos de follaje espeso de la Ciudadela, y los *enrojecía* y los *coloreaba* con un tono de cobre. 15

Bajando desde lo alto, por senderos de cabras, *se llegaba* a un camino que *corría* junto a las aguas claras del Ibaya. Cerca del pueblo, algunos pescadores de caña *se pasaban* la tarde sentados en la orilla, y las lavanderas, con las piernas desnudas metidas en el río, *sacudían* las ropas y *cantaban*. 20 (delR-2, 520)

Sintaxis

El estudio del léxico se concentra en la palabra aislada o en constelaciones de palabras aisladas. Otro aspecto más complejo del estilo de un creador literario es el orden y la cantidad de palabras dentro de la oración y aun dentro del párrafo. Este aspecto es la sintaxis. El aspecto sintáctico del nivel retórico de una obra literaria es variado, como puede suponerse. Nosotros queremos señalar cuatro oraciones que muestran grandes diferencias entre sí en cuanto a la sintaxis. Son la frase sencilla, la paralela, la barroca, y la cervantina. La simplificación puede ser un tanto exagerada, pero creemos que puede dar al estudiante alguna orientación. La sintaxis sencilla emplea oraciones sencillas. La oración paralela es de mayor extensión, así que exige mayor complejidad; mientras que la sencilla corre clara y directamente, la paralela emplea proposiciones (*clauses*) y partes paralelas para equilibrar y oponer las partes. En cuanto a la oración barroca, que es enérgica, a veces dramática en su efecto total, carece de la simetría perfecta del paralelismo, pues se desarrolla lentamente, por medio de agregaciones, modificaciones, y con muchas frases parentéticas, mientras va tomando forma. La oración cervantina o la frase cervantina, como suele llamarse, puede considerarse como una combinación feliz e ingeniosa de la oración barroca y de la oración paralela.

Veamos ahora algunos ejemplos de distintas oraciones en la literatura española. La sintaxis de frase sencilla se ejemplifica perfectamente en la prosa de Azorín, de cuya obra, *Las confesiones de un pequeño filósofo*, vienen estas líneas. «Yo recuerdo que muchas mañanas abría una de las ventanas que daban a la plaza; el cristal estaba empañado por la escarcha; una foscura recia borraba el jardín y la plaza. De pronto, a lo lejos, se oía un ligero cascabeleo.» (PN-2, 149)

La prosa de Juan Manuel, aunque de otra época, también ejemplifica la sintaxis más sencilla. Notamos que las oraciones son a veces algo largas, pero sus elementos son cortos y sencillos. Además, los recursos sintácticos son pocos (el idioma castellano es joven). Notemos el abuso de las conjunciones *y* y *que* por falta de otras. «Y al cabo de otros días mandó el rey al infante menor, su hijo, que fuese con él muy de mañana, y el infante madrugó antes que el rey se despertase, y esperó hasta que se despertó el rey, y luego que estuvo despierto entró el infante y se humilló con el respeto que debía, y el rey le mandó que le hiciese traer las ropas.» (B, 53)

La organización muy cuidada y un tanto artificial del estilo más complejo se ejemplifica magistralmente en esta frase de una carta desde Rusia, escrita por el elegante Juan Valera en 1857. Hablando de los rusos dice: «Creo, además, que esta gente tiene más entendimiento para las cosas prácticas de la vida, que para las altas especulaciones metafísicas; que comprenden mejor lo que ven que lo que oyen, y lo que tocan que lo que ven; que imitan más que inventan, y que son, en el fondo del alma, más sensualistas que espiritualistas.» (delR-2, 303)

Es fácil ver que en la oración paralela todas las partes y todas las proposiciones tienen su pareja; todo queda perfectamente equilibrado.

La sintaxis barroca, en cambio, tiende a perder esta disciplina, sobre todo en las oraciones largas, que van adornándose, y tomando nuevo rumbo al agregarse nuevos elementos. La prosa del siglo XVII se considera, en términos generales, barroca. La siguiente oración del *Buscón* de Francisco de Quevedo puede servir de ejemplo del aspecto que acabamos de comentar. «En este tiempo vino a don Diego una carta de su padre, en cuyo pliego venía otra de un tío mío llamado Alonso Ramlón, hombre allegado a toda virtud, y muy conocido en Segovia por lo que era allegado a la justicia, pues cuantas allí se habían hecho de cuatro años a esta parte han pasado por sus manos.» (delR-1, 660)

La oración cervantina es bien conocida y comentada. Casi siempre se cita la primera frase del *Quijote* y ésta sirve muy bien a nuestro propósito. «En un lugar de la Mancha, de cuyo nombre no quiero acordarme, no ha mucho tiempo que vivía un hidalgo de los de lanza en astillero, adarga antigua, rocín flaco y galgo corredor.» (delR-1, 414) (P-1, 202) (M-1, 265)

Naturalmente, no suelen encontrarse ejemplos de sintaxis «pura» con frecuencia. Sobre todo, los autores de los tiempos modernos, y los mejores autores de todos los tiempos, han querido crear su propio estilo, valiéndose de todos los recursos a su disposición. Si imitan a otros, si estudian formalmente la retórica, si sus resultados prácticos parecen oraciones paralelas, barrocas, etc., en todo caso adaptan el estilo a las circunstancias y a su propio genio. El lector, entonces, puede analizar el estilo y comentarlo a la luz de sus conocimientos de otros aspectos de la obra.

Nivel retórico

En la creación del nivel retórico entran varios factores como la sintaxis, el léxico, y la tropología. Una sintaxis compleja como la barroca, por ejemplo, siempre tiende a elevar el nivel retórico de una obra. Tiende a elevar el tono, creando un tono mayor. La sintaxis sencilla, como la de un Baroja o de un Azorín, rebaja el nivel retórico, creando el tono menor tan típico de ellos. El empleo de las cuatro constelaciones de palabras que mencionamos antes tiende a elevar el nivel retórico de una obra. Claro está que una profusión de palabras más extensas, más abstractas, va a crear una obra de tono más elevado, un tono mayor; y las palabras más sencillas y concretas, las que se refieren a objetos, van a rebajar el tono de la obra, creando un tono menor. El manejo de muchos adornos, de muchas figuras retóricas, ayuda bastante a elevar el nivel retórico y la falta de estos adornos tiende a rebajar el tono. Aquí no vamos a comentar el elemento más técnico del nivel retórico, la tropología, el empleo de tropos. El término «tropo» significa recurso literario de léxico, de sintaxis, o de actitud [intención] como metáfora, hiperbatón o ironía. Incluimos una lista de los tropos más comunes, con ejemplos, en la sección de «Tropos» de este texto.

Organización

Otro aspecto de la obra literaria, no estudiado dentro de la retórica tradicional pero que puede influir en el nivel retórico, es la organización en general. Aquí se pueden comentar los párrafos, largos, cortos, variados, de la prosa, la división en capítulos, tratados, jornadas, escenas, etc. y los títulos o subtítulos de cada sección. Es innegable, por ejemplo, que los exagerados títulos de los capítulos en el *Quijote* contribuyen fuertemente al tono jocoso, divertido, de la obra. Por otra parte, los capítulos cortos, rápidos, con sus títulos sencillos o inexistentes, concuerdan perfectamente con el lenguaje abrupto y nervioso de las novelas de Baroja.

PREGUNTAS

1   ¿Cómo puede caracterizarse el léxico de esta obra — limitado, ordinario, culto, violento, etc.? ¿Se destacan constelaciones de palabras? ¿Cuáles son? ¿Abusa el autor de ciertas constelaciones o de ciertas palabras repetidas excesivamente?

2. ¿Cómo contribuye la naturaleza del léxico al tono de la obra?

3. ¿Predomina una de las partes de la oración en ciertas secciones de esta obra — verbos de acción, adjetivos, etc.?

4. ¿Cómo corresponde esto al tono logrado? ¿Cómo corresponde a la naturaleza de la materia — diálogo rápido, evocación de estado de ánimo, etc.?

5. ¿Cómo es la sintaxis de esta obra, de toda la obra o de ciertas secciones? ¿Corresponde bien a una de las cuatro clases de sintaxis comentadas?

6. ¿Puede hacerse un análisis descriptivo de la sintaxis de un trozo típico, un párrafo, por ejemplo?

7. La sintaxis típica de esta obra, ¿contribuye claramente a un nivel retórico marcado — alto, altisonante, corriente, bajo, etc.?

8. ¿Se emplean extensamente algunos de los tropos comentados en nuestra lista?

9. ¿Cuál es la importancia de la organización general, de las divisiones, para el nivel retórico y el tono de la obra?

10. ¿Qué relación tiene el estilo de la obra con los otros aspectos; con los seres humanos y su presentación, por ejemplo?

Lo axiológico

Uno de los aspectos de la creación de una obra literaria, aspecto bastante descuidado y a veces totalmente ignorado por los estudiantes y críticos hasta ahora, es el manejo de un sistema axiológico, el manejo de un sistema de valores. El artista literario que vive en un mundo donde algunas cosas valen más que otras, donde hay un sistema axiológico o varios sistemas axiológicos, donde hay valores verbales y valores vitales, tiene forzosamente que encarar el problema axiológico al componer su obra.

Apoyo de valores establecidos

Parece que el juglar que compuso el *Cid* estaba consciente del sistema de valores que regía en aquellos tiempos y este sistema es apoyado y defendido en toda su obra. Todo parece tener su posición exacta en la escala de valores en este poema épico. Encima de todos están los valores máximos de Dios, rey, patria y fe. Sigue el valor de la honra y la dignidad. Luego vienen la fama y los hechos. Después de la vida podemos colocar la familia. Se encuentra en una posición bastante inferior la nobleza que viene de los padres, de los antepasados, la que proviene de la alcurnia. En una posición bastante inferior a todos estos valores, pero no despreciados del todo, se encuentran los valores materiales. Entonces encontramos en el *Cid* una escala de valores bastante rígida y un apoyo bastante fuerte de éstos. Es interesante ver cómo este mismo sistema de valores percibido y apoyado por el juglar de Medinaceli es el más aceptado y vigente en la literatura española hasta el siglo veinte.

Es fácil ver la importancia del manejo de lo axiológico en la composición del *Cid* porque forma parte del conflicto principal. Los infantes de Carrión creen que la sangre de sus venas, su alta alcurnia, les hace superiores al Cid Campeador. Lo que es más, creen que el Cid se quedará desagraviado y satisfecho con dinero y cosas materiales.

> «Dejaos ya, oh Cid, de esta cuestión, menos
> pues ya vuestros dineros os los pagamos los dos,
> y no se crezca el pleito entre nosotros y vos.
> Del linaje somos de Condes de Carrión:
> debimos casar con hijas de rey o de emperador, 5
> porque nunca convendrían hijas de infanzón.
> (B, 39-40)

Pero el Cid y sus vasallos aprecian más las obras que la sangre azul y exigen venganza.

> Di, Fernando, confiesa esta razón:
> ¿no se te acuerda en Valencia de lo del león?
> cuando dormía el Cid y el león se desató?
> Y tú, Fernando, ¿qué hiciste con el pavor?
> ¡Meterte bajo el escaño, de mío Cid Campeador! 10
> Sí te metiste, Fernando, menos vales por eso hoy.
> Rodeamos el escaño guardando a nuestro señor,
> hasta que despertó el Cid, el que Valencia ganó;
> levantóse del escaño, y se fue para el león;
> bajó el león la cabeza, a mío Cid esperó, 15
> dejóse coger del cuello, y en la jaula lo metió.
> Cuando se volvió el buen Campeador,
> a sus vasallos los vio alrededor;
> preguntó por sus yernos, a ninguno se halló.
> Te reto tu persona por malo y por traidor. 20
> (B, 41)

De este conflicto axiológico surgen dos temas importantes en la literatura española: el hombre es hijo de sus obras y del rey abajo ninguno. Veremos que la frase: «Cada quien es hijo de sus obras» es repetida constantemente por don Quijote y que el tema «Del rey abajo ninguno» es el título o el tema de muchas obras en el teatro del Siglo de Oro como *Del rey abajo ninguno* de Rojas Zorrilla y *Peribáñez* de Lope de Vega.

Ataque o duda sobre valores establecidos

En *Fuenteovejuna*, por sus buenas obras y costumbres los humildes se creen tan honrados como los nobles que quieren abusar de ellos, seduciendo a sus mujeres. Este mismo sistema axiológico que encontramos en el *Cid* permanecerá vigente hasta la generación del 98 en el siglo veinte. Pero en este largo período hay obras en que el sistema de valores es otro. Consideremos la novela picaresca. El sistema de valores del pícaro es todo lo opuesto del que hemos comentado. El valor más alto para el pícaro es el valor material. Él necesita comer. Todos los otros valores quedan en posición inferior. En *Lazarillo de Tormes* y en casi todas las novelas picarescas vemos que hay un ataque o ciertas dudas sobre el otro sistema de valores. En el segundo tratado Lazarillo sirve a un sacerdote. Se entera de que es mil veces peor y más avaro que el ciego a quien sirvió primero. Así se sugiere que el verdadero sistema axiológico del cura es materialista, al contrario de la suposición general en tales casos.

Al fin podemos señalar que la conocida letrilla de Francisco de Quevedo, «Poderoso caballero es don Dinero», se basa en el conflicto irónico entre dos sistemas de valores.

> Poderoso caballero
>   es don Dinero.
> Madre, yo al oro me humillo;
> él es mi amante y mi amado,
> pues de puro enamorado   5
> anda contino amarillo;
> que pues, doblón o sencillo,
> hace todo cuanto quiero,
>   poderoso caballero
>   es don Dinero. (B, 258) (delR-1, 653) (M-1, 309)   10

La gracia de la letrilla está precisamente en la diferencia entre los valores verbales y los reales de la época. Quevedo veía claramente que todo el mundo hablaba de la nobleza, de caballeros y dones pero que tal vez les importaba más el dinero y los valores materiales.

En la obra de Galdós, comenzando con *La desheredada* de 1881, entran plenamente dos sistemas de valores: el sistema materialista y el sistema tradicional, espiritual o ideal. El divertido y fino juego axiológico entre estos dos sistemas explica una parte substancial del placer que recibimos de la lectura de estas novelas. Muchas veces sus personajes mezclan y confunden los dos sistemas. Torquemada, el usurero, está en la hoguera porque se le está muriendo su hijo, y quiere comprar la misericordia de Dios con dinero. En otra ocasión el juego axiológico permite a Galdós medir la virtud de un personaje con bastante exactitud. Una noche de vuelta a casa, Torquemada ve a un mendigo y le entran ganas de hacer una obra de caridad.

«Señor, señor — decía con el temblor de un frío intenso —, mire cómo estoy, míreme.» Torquemada pasó de largo, y se detuvo a poca distancia; volvió hacia atrás, estuvo un rato vacilando, y al fin siguió su camino. En el cerebro le fulguró esta idea: «Si conforme traigo la capa nueva, trajera   5
la vieja. . .»
— ¡Maldito de mí! No debí dejar escapar aquel acto de cristiandad.
Dejó la medicina que traía, y cambiando de capa, volvió a echarse a la calle. Al poco rato, Rufinita, viéndole entrar en   10
cuerpo, le dijo asustada:
— Pero, papá, ¡cómo tienes la cabeza . . .! ¿En dónde has dejado la capa?
—Hija de mi alma — contestó el tacaño bajando la voz y poniendo una cara muy compungida —, tú no comprendes lo   15
que es un buen rasgo de caridad, de humanidad . . . ¿Preguntas por la capa? Ahí te quiero ver . . . , pues se la he dado a un pobre viejo, casi desnudo y muerto de frío. Yo soy así: no ando con bromas cuando me compadezco del pobre. Podré parecer duro algunas veces; pero como me ablande . . .   20
Veo que te asustas. ¿Qué vale un triste pedazo de paño?
— ¿Era la nueva?
— No, la vieja . . . Y ahora, créemelo, me remuerde la conciencia por no haberle dado la nueva . . . y se me alborota también por habértelo dicho. La caridad no se debe pregonar.   25
(P-2, 475-6); M-2, 113

Explotación artística de valores establecidos

En otras obras el sistema axiológico es explotado artísticamente por su valor emotivo. Veamos este ejemplo de la *Celestina*.

CALISTO. Como de la apariencia a la existencia, como de lo vivo a lo pintado, como de la sombra a lo real, tanta diferencia hay del fuego que dices al que me quema. Por cierto, si el del purgatorio es tal, preferiría que mi espíritu fuese con los de los brutos animales, a que 5 fuese por medio de aquél a la gloria de los santos.

SEMPRONIO. (aparte) ¡Ya decía yo! A más ha de llegar esto. No basta [llamarle] loco, sino hereje.

CALIS. ¿No te digo que hables alto cuando hablas? ¿Qué dices? 10

SEMPR. Digo que nunca Dios quiera tal: que es especie de herejía lo que acabas de decir.

CALIS. ¿Por qué?

SEMPR. Porque lo que dices contradice la religión cristiana. 15

CALIS. ¿Qué tiene eso que ver conmigo?

SEMPR. ¿Tú no eres cristiano?

CALIS. ¿Yo? Melibeo soy, y a Melibea adoro, y en Melibea creo, y a Melibea amo. (B, 107) (delR-1, 210) (P-1, 67) (M-1, 106)

¿Puede el estudiante pensar en otro procedimiento más eficaz para expresar la grandeza y la intensidad de este amor?

En *Lazarillo de Tormes* esta explotación artística toma la forma de una interacción entre dos personajes que tienen distintos sistemas de valores. En el tratado tercero vemos que Lázaro cobra respeto y admiración por otros valores a través de su asociación con el escudero. Lo mismo acontece en el *Quijote*. Hay una interacción constante y bastante compleja a través de toda la obra entre los valores materialistas de Sancho y los valores idealistas de don Quijote.

Abundan los casos de esta explotación artística y emotiva en el romanticismo. Hasta parece que esta explotación llega a ser su *modus operandi* más importante al valerse de la escala tradicional de valores para intensificar y engrandecer el amor romántico. Hasta el lenguaje de los románticos adquiere facetas axiológicas como se ve en *El trovador* de Antonio García Gutiérrez.

MANRIQUE. Si fuera verdad, mi vida,
        y mil vidas que tuviera,
        ángel hermoso, te diera.

LEONOR. ¿No te soy aborrecida?

MANRIQUE. ¿Tú, Leonor? ¿Pues por quién 5
        así en Zaragoza entrara,

por quién la muerte arrostrara
sino por ti, por mi bien?
¡Aborrecerte! ¿Quién pudo
aborrecerte, Leonor?   10
LEONOR.   ¿No dudas ya de mi amor,
Manrique?
MANRIQUE.   No, ya no dudo.
Ni así pudiera vivir.
¿Me amas, es verdad? Lo creo,   15
porque creerte deseo
para amarte y existir,
porque la muerte me fuera
más grata que tu desdén.
(PN-1, 115)

También Nuño está dispuesto a despreciar la escala tradicional
debido a la intensidad de su pasión.

Gracias a Dios se fué ya,   20
que, por cierto, me aburría.
¡Qué vano con su hidalguía
el buen caballero está!
Que no me quiera servir,
será diligencia vana: 25
o ha de ser mía su hermana,
o por ella he de morir.
(PN-1, 122)

NUÑO.   Escucha. Supongo que no encontrarás resistencia;
        si la hallares, haz uso de la espada.
GUZMÁN.   ¿En la misma iglesia?   30
NUÑO.   En cualquier parte.
GUZMÁN.   Verdad es que en un tiempo en que se matan
        arzobispos. . .
NUÑO.   Me has entendido. . . Adiós. (PN-1, 124)

En *Don Alvaro* el Duque de Rivas llega a la máxima explotación
emotiva del sistema tradicional de valores. El primer conflicto que
establece es el del valor del hombre, hijo de sus obras, con el valor de
los pergaminos.

OFICIAL.   ¿Y qué más podía apetecer su señoría que el ver
        casada a su hija (que con todos sus pergaminos está
        muerta de hambre) con un hombre riquísimo, y cuyos
        modales están pregonando que es un caballero?

TÍO PACO.   Yo nada digo, ni me meto en honduras; para   5
mí cada uno es hijo de sus obras, y en siendo buen
cristiano y caritativo . . . (P-2, 295-6)

El segundo conflicto axiológico es el que tiene que ver con el
valor de la familia.

LEONOR

¡Infeliz de mí! . . . ¡Dios mío!
¿Por qué un amoroso padre,
Que por mí tanto desvelo   10
Tiene, y cariño tan grande,
Se ha de oponer tenazmente
(¡Ay, el alma se me parte! ..)
A que yo dichosa sea,
Y puedo feliz llamarme? . . .   15
¿Cómo, quien tanto me quiere,
Puede tan cruel mostrarse?
Más dulce mi suerte fuera
Si aun me viviera mi madre.

CURRA

¿Si viviera la señora? . . .   20
Usted está delirante.
Más vana que Señor era:
Señor al cabo es un angel.
¡Pero ella! . . . Un genio tenía
Y un copete . . . Dios nos guarde.
Los señores de esta tierra   25
Son todos de un mismo talle.
Y si alguna señorita
Busca un novio que le cuadre,
Como no esté en pergaminos
Envuelto, levantan tales   30
Alaridos . . .
(P-2, 300)

Pronto nos hace ver el Duque de Rivas que don Álvaro juega la vida
en este lance amoroso.

CURRA

¡Pues hubiéramos quedado
Frescas, y echado un buen lance!
Mañana vería usted
Revolcándose en su sangre,

Con la tapa de los sesos   5
Levantada, al arrogante,
Al enamorado, al noble
Don Álvaro. O arrastrarle
Como un malhechor, atado,
Por entre estos olivares
A la cárcel de Sevilla;   10
Y allá para Navidades
Acaso, acaso en la horca.
(P-2, 301)

Después en Italia vemos que nada le importa cuando dice,

¡Qué carga tan insufrible
Es el ambiente vital,
Para el mezquino mortal
Que nace en signo terrible!
¡Qué eternidad tan horrible   15
La breve vida! (P-2, 325)

También juega el autor con la dignidad y el cumplimiento de la palabra, para hacer destacar más la intensidad de las emociones. Don Carlos sospecha que don Álvaro es el seductor de su hermana Leonor, pero ha prometido no abrir el legajo que don Álvaro le ha entregado. Por otra parte, don Álvaro le ha salvado la vida.

¡Cielos! lo estoy viendo yo.
Mas si él mi vida salvó,
También la suya salvé.
Y si es el infame indiano,
El seductor asesino,   5
¿No es bueno cualquier camino
Por donde venga a mi mano?
Rompo esta cubierta, sí,
Pues nadie lo ha de saber . . .
Mas ¡cielos! ¿qué voy a hacer?   10
¿Y la palabra que di? (Suelta el legajo.)
(P-2, 333)

Vemos que al final don Álvaro desprecia por completo todo el viejo sistema de valores. Con el suicidio pierde hasta la esperanza de la misma salvación. «DON ÁLVARO. Infierno, abre tu boca y trágame. Húndase el cielo, perezca la raza humana; exterminio, destrucción . . . (Sube a lo más alto del monte y se precipita.)» (P-2, 360)

Gustavo Adolfo Bécquer, posromántico o romántico viviendo en una época en que las filosofías materialistas iban cobrando cierta vigencia hasta en España, explotaba también este mismo sistema de valores. En su leyenda más conocida *Los ojos verdes* encontramos un buen ejemplo. « — ¿Sabes tú lo que más amo en este mundo? ¿Sabes tú por qué daría yo el amor de mi padre, los besos de la que me dió la vida, y todo el cariño que pueden atesorar todas las mujeres de la tierra? Por una mirada, por una sola mirada de esos ojos . . . ¡Cómo podré yo dejar de buscarlos! » (P-2, 376) (M-2, 12)

Negación de valores establecidos

Los miembros de la generación del 98, buscando otra esencia del ser humano, negaban los valores tradicionales de España. Recordemos el «Elogio metafísico de la destrucción» en *Paradox, rey* donde Pío Baroja encuentra que «en la destrucción está el pensamiento de lo que anhela llegar a ser . . .» Termina el elogio Baroja con estas palabras: «Destruir es cambiar. No, algo más. Destruir es crear.» (delR-2, 514) En la poesía de Antonio Machado esta negación de los valores tradicionales de España llega a ser una constante. Niega la sinceridad de la religión formal y ve el fin de una aristocracia en «Llanto de las virtudes y coplas por la muerte de don Guido.»

> Gran pagano,
> se hizo hermano
> de una santa cofradía;
> el Jueves Santo salía,
> llevando un cirio en la mano   5
> — ¡aquel trueno! —,
> vestido de nazareno.
> Hoy nos dice la campana
> que han de llevarse mañana
> al buen don Guido, muy serio,   10
> camino del cementerio.
>
> . . . .
>
> ¡Oh fin de una aristocracia!
> La barba canosa y lacia
> sobre el pecho;
> metido en tosco sayal,
> las yertas manos en cruz   15
> ¡tan formal!
> el caballero andaluz.
> (PN-2, 173-4)

En «Una España joven» nos dice que los viejos valores de España
fueron una mentira.

> . . . Fué un tiempo de mentira, de infamia. A España toda,
> la malherida España, de carnaval vestida
> nos la pusieron, pobre y escuálida y beoda,
> para que no acertara la mano con la herida.
> (PN-2, 174)

En «Campos de Soria» canta la ruina de las grandezas del pasado.

> ¡Soria fría, Soria pura,
> cabeza de Extremadura,
> con su castillo guerrero
> arruinado, sobre el Duero;
> con sus murallas roídas   5
> y sus casas denegridas!
>
> ¡Muerta ciudad de señores
> soldados o cazadores;
> de portales con escudos
> de cien linajes hidalgos,
> y de famélicos galgos,   10
> de galgos flacos y agudos,
> que pululan
> por las sórdidas callejas,
> y a la media noche ululan,
> cuando graznan las cornejas!   15
> (P-2, 568) (M-2, 302)

Parece que la duda de don Miguel de Unamuno por la frecuencia
con que aparece y por la intensidad, llega a ser el elemento más
negativo de toda la generación del 98. Encarna esta duda en la
persona de San Manuel Bueno, mártir. En el trozo que sigue pueden
ver hasta dónde llegan las dudas de este santo.

Al llegar la última Semana de Pasión que con nosotros, en
nuestro mundo, en nuestra aldea celebró Don Manuel, el
pueblo todo presintió el fin de la tragedia. ¡Y cómo sonó
entonces aquel: « ¡Dios mío, Dios mío! , ¿por qué me has
abandonado? », el último que en público sollozó Don   5
Manuel! Y cuando dijo lo del Divino Maestro al buen
bandolero — «todos los bandoleros son buenos», solía decir
nuestro Don Manuel — , aquello de: «mañana estarás
conmigo en el paraíso». ¡Y la última comunión general que

repartió nuestro santo! Cuando llegó a dársela a mi her- 10
mano, esta vez con mano segura, después del litúrgico:
«... *in vitam aeternam*» se le inclinó al oído y le dijo: «No
hay más vida eterna que ésta ... que la sueñen eterna ...
eterna de unos pocos años ...» Y cuando me la dió a mí me
dijo: «Reza, hija mía, reza por nosotros.» Y luego, algo tan 15
extraordinario que lo llevo en el corazón como el más grande
misterio, y fué que me dijo con voz que parecía de otro
mundo: «... y reza también por Nuestro Señor Jesucristo
...» (PN-2, 53-4) (M-2, 162)

PREGUNTAS

1. ¿Se percibe un sistema de valores tradicionales en la obra?
2. ¿Son los valores espirituales o materialistas?
3. ¿Defiende el autor este sistema de valores o lo explota artísticamente?
4. ¿Hay una negación de valores tradicionales en la obra?
5. ¿Hasta qué punto emplea el autor una técnica axiológica para
presentar a los personajes?
6. ¿Cuáles son los conceptos axiológicos empleados para medir la
virtud de los personajes?
7. ¿Hay una diferencia entre los valores verbales y los vitales en la
obra? ¿Fingen apreciar unos valores cuando realmente aprecian
otros diametralmente opuestos?
8. ¿Cuál es la relación entre el sistema de valores que se encuentra
en la obra y el sistema de valores del autor, del lector, o sea de
usted, de la sociedad y de los tiempos sobre los cuales escribe?
9. ¿Le parece que el autor puede ver solamente un sistema de
valores, un sistema bastante rígido, o es que ve la posibilidad de
muchos sistemas de valores nada semejantes entre sí?
10. ¿Cuál es la importancia del aspecto axiológico relacionado con
los otros aspectos de la obra?

Fin artístico y extra-artístico

Fin artístico

En general nos atrevemos a afirmar que el fin artístico de todo creador literario es él mismo. Procura crear, con todos los recursos de su lenguaje y con todas las fuerzas de su ingenio, un objeto bello, una hermosa obra de arte. Esta obra de arte puede ser la representación o imitación de la vida, de un aspecto de la vida que conocemos en parte tanto el artista como nosotros — suele ser el caso de la literatura narrativa y la dramática. También puede ser la creación o la recreación de un estado anímico, de una emoción o de una intuición única y momentánea del poeta — suele ser el caso de la lírica.

La belleza de la obra puede radicar en el asunto o en el tema mismo: el amor maternal, el bien triunfante, la patria idealizada, etc.

Pero también puede radicar en la perfección o en la destreza de la ejecución de la obra aunque el asunto mismo sea feo y hasta repugnante. Es el caso de la sátira más mordaz y de muchas obras modernas donde el artista parece buscar lo repugnante por razones artísticas. Buenos ejemplos son las obras de Ramón María del Valle-Inclán y de Camilo José Cela. Recomendamos *Sonata de otoño* de aquél y *La familia de Pascual Duarte* de éste.

No se trata, entonces, de averiguar si hay o no fin artístico en una obra que pretende ser de arte. Pero sí intenta precisar la naturaleza de la obra (intuición y descripción) y de comentar el logro artístico de ésta (análisis y juicio).

La descripción de la naturaleza de la obra puede tomar la forma de una frase breve, a saber: representación detallada y reverente de la vida rural (una novela regionalista de Pereda); dramatización extravagante de los amores imposibles de un señor misterioso y una señorita de buena familia (ciertos dramas románticos); evocación angustiada de un momento cuando el amante ve imposibilitado su amor (varias rimas de Bécquer).

El comentario del logro artístico es precisamente la tarea principal del lector-estudiante, con la inspiración de su profesor, las aportaciones de sus colegas de clase, la erudición de los libros de consulta y la sistematización de los diez aspectos.

Fin extra-artístico

Se habla mucho del arte, de la estética, de la belleza, etc. Pero no hay que olvidar que el artista literario no es simplemente artista; no vive ajeno a otras consideraciones. Es un ser humano que vive en un mundo determinado durante un tiempo limitado. Está contagiado, pues, de preocupaciones de toda índole: ideológicas, económicas, políticas, matrimoniales, de censura, etc.

Uno de los fines extra-artísticos más obvios que puede tener un autor es el de ganar dinero. Lope de Vega declaró abiertamente que escribió sus comedias por razones económicas; la cantidad de su producción, unas 500 comedias conocidas, tiende a corroborar su aserción.

Otro fin es el de conseguir la fama. Vemos con claridad que Cervantes pensaba en la inmortalidad literaria al ir componiendo su obra maestra. Es una preocupación constante de don Quijote, como vemos en esta conocida cita del capítulo primero. «En efecto,

rematado ya su juicio, vino a dar en el más extraño pensamiento que
jamás dio loco en el mundo, y fue que le pareció *convenible* y
necesario, así para el aumento de su *honra* como para el servicio de
su república, hacerse caballero andante, e irse por todo el mundo con
sus armas y caballo a buscar las aventuras y a ejercitarse en todo
aquello que él había leído que los caballeros andantes se ejercitaban,
deshaciendo todo género de agravios y poniéndose en ocasiones y
peligros donde, acabándolos, *cobrase eterno nombre* y *fama.*≫ (B,
212-3) (delR-1, 415) (P-1, 203) (M-1, 266-7)

Cervantes, y otros autores también, se valen de otro recurso para
identificarse con la obra que van creando, esperando así cobrar algo
más de la fama que les corresponde; se colocan inadvertidamente en
el fondo o en un rincón de su obra, como el gran pintor Velázquez
en su cuadro, *Las meninas*. Cervantes se caracteriza como el historiador, el sabio, que recibió el manuscrito de Cidi Hamete Benengeli y
que va a contar ahora las hazañas de su héroe.

El fin didáctico es otro fin extra-artístico muy frecuente en la
literatura. La verdad es que, para muchos, ha constituido una faceta
del fin artístico. Desde Horacio, que formuló el propósito de la
literatura como el de *delectare aut prod esse*, hasta los neoclásicos
del siglo XVIII, que querían *enseñar deleitando*, el fin didáctico ha
tenido mayor o menor importancia. Tampoco falta en cierta literatura de hoy.

El didacticismo del siglo XVIII se ve fácilmente en las *Fábulas
morales* de Félix María Samaniego. Cuentan en verso una fábula de
animales, muy al estilo del legendario Esopo, terminando cada una
con una lección moral explícita, como en el caso de la fábula del
cuervo y el zorro. A un cuervo en la rama de un árbol, con un queso
en el pico, lo lisonjea un astuto zorro por su magnífica voz. El
cuervo, llevado por la vanidad, se deja engañar.

> Quiso cantar el Cuervo.
> Abrió su negro pico,
> Dejó caer el queso;
> El muy astuto Zorro,
> Después de haberle preso,   5
> Le dijo, ≪Señor bobo,
> Pues sin otro alimento,
> Quedáis con alabanzas
> Tan hinchado y repleto,

Digerid las lisonjas   10
Mientras yo como el queso.≫

Quien oye aduladores,
Nunca espere otro premio.
(PN-1, 29) (M-1, 457)

La moraleja no siempre es explícita, desde luego. En muchos casos la obra literaria lleva implícita una intención didáctica que ni está resumida ni explicada en pocas palabras. Un fin extra-artístico de la novela naturalista, por ejemplo, es el del *exposé*, de la revelación completa y objetiva de una realidad social fea y baja, despertando así la compasión y la indignación del lector e incitándole deseos de reforma.

Menos objetiva, más tendenciosa, es la literatura de tesis. Aquí todas las otras consideraciones están subordinadas a la tesis que quiere establecer el autor, tesis religiosa, anti-hipócrita (*Doña Perfecta* de Galdós), tesis social, contra la caridad condicional a expensas de la integridad personal (*Los malhechores del bien* de Benavente), tesis política, contra un régimen, un dictador, una ley, etc. (la literatura de los exilados durante muchas épocas de la historia española puede servir de ejemplo).

En resumen, los posibles fines extra-artísticos de una obra literaria son tan numerosos como los autores, sus ideas y obsesiones, sus circunstancias personales y sus relaciones con su sociedad.

PREGUNTAS

1. ¿Cuál ha sido, en términos específicos, el fin artístico del autor en esta obra?
2. ¿Puede usted hacer una descripción intuitiva, breve y sintética, de la naturaleza de la obra?
3. ¿Puede usted comentar en forma de resumen, algunos elementos del logro artístico de la obra? El comentario debe basarse en todos los aspectos de la creación literaria ya estudiados.
4. La belleza, el gusto artístico, ¿se debe más al asunto, a la materia, o a la técnica, la ejecución? ¿Es posible separar bien y con seguridad el contenido y la forma de esta manera?
5. ¿Hasta qué punto corresponde claramente el fin artístico de esta obra a un elemento de la teoría literaria del autor?
6. ¿Cuál parece ser el fin extra-artístico de más importancia?
7. ¿Hay otros secundarios?

8. ¿Están bien integrados o están en conflicto los fines artísticos y los extra-artísticos?

9. ¿Corresponde claramente el fin extra-artístico de la obra a un elemento de la teoría literaria del autor?

10. ¿Cuál de los otros nueve aspectos se maneja más abiertamente al servicio del fin extra-artístico?

Teoría literaria

Concordamos con Marcelino Menéndez y Pelayo «Detrás de cada hecho, o más bien, en el fondo del hecho mismo, hay una idea estética, y a veces una teoría o una doctrina completa de la cual el artista se da cuenta o no, pero que impera y rige en su concepción de un modo eficaz y realísimo.» (Marcelino Menéndez y Pelayo, *Historia de las ideas estéticas en España,* Madrid; Consejo Superior de Investigaciones Científicas, 1946, p. 5.) La creación literaria no es simplemente casual. El escritor no crea su obra sin tener primero una idea de lo que será o de lo que debe ser la obra. La formulación de esta teoría puede considerarse como el primer paso de la creación. La idea que tiene puede no estar muy elaborada, muy concreta. En algunos casos existe en forma publicada, cuidadosamente explicada, en un ensayo teórico o en el prólogo de otra obra, pero no tiene que ser así. La mera existencia de una obra de creación literaria es testimonio de la existencia de una teoría literaria. Sin ir más lejos, la teoría literaria de un autor se encuentra ejemplificada, encarnada, en la obra literaria. Aun los autores anónimos y de obras únicas tienen teoría literaria al alcance del estudioso. Y si el autor bajo estudio ha escrito también una exposición de sus ideas literarias, tanto mejor, sobre todo si las ideas que explica también las emplea en su creación.

Lope de Vega, en su *Arte nuevo de hazer comedias*, declara que conoce las ideas y las teorías de los antiguos sobre el teatro. Sin embargo, prefiere apartarse de estas normas para seguir sus propias ideas y para acomodarse a los gustos de su público. Los resultados prácticos de sus teorías pueden verse en cualquiera de sus muchas comedias.

Con frecuencia la idea literaria de uno o de varios autores es formulada conscientemente en reacción contra otra idea ya general o que va cobrando vigencia. Éste es el caso, en general, de las ideas románticas, elaboradas contra el fondo del neoclasicismo dieciochesco. Tal es el caso también de la teoría del arte por el arte, elaborada por Juan Valera, Manuel de la Revilla y Marcelino Menéndez y Pelayo para contrarrestar las ideas de la literatura naturalista, de intención docente, formuladas por Émile Zola.

Más tarde, en la generación del 98, vemos que cada cual pretende formular una teoría literaria bien personal, desligada de escuelas y de movimientos. Pío Baroja, por ejemplo, ha escrito extensamente sobre el particular, y los comentaristas han escrito más. Su teoría puede resumirse en tres citas característicamente breves y tajantes: «destruir es crear», «escribir es como andar», y «no afirmar.»

En la formación de su teoría particular el creador literario tiene más o menos tres procedimientos. Puede si quiere adoptar la teoría o las teorías en boga dentro e la época. Éste es el caso de muchos escritores románticos. Claro está que todo autor va a modificar esta teoría ligeramente según sus experiencias vitales y su sensibilidad. También el autor puede formar su propia teoría eclécticamente, seleccionando aspectos de las teorías de diversas épocas, escuelas y autores individuales. La Pardo Bazán nos brinda un buen ejemplo de la teoría ecléctica ya que ella ha tomado ciertos elementos de muchas teorías, como del naturalismo, del realismo español, del modernismo y del romanticismo. Nos es grato e interesante pensar que posiblemente estos autores han ido formando sus teorías aspecto por aspecto sin darse cuenta del hecho. También un autor tiene la posibilidad de formar su teoría con la lectura asidua de un autor o de muchos autores. Nosotros creemos que en este caso la creación de las ideas que van a formar una teoría va a ser inconsciente, mas no tiene que ser así. Se entiende que la teoría de cada autor será una combinación de estos tres procedimientos y tal vez de muchos otros factores.

Ya que una teoría literaria es compleja, tan compleja o más que la obra misma, conviene estudiarla aspecto por aspecto. Este método lo adoptaremos también con el parentesco literario. Generalmente, y esto apoya nuestro sistema, los autores hacen solamente comentarios aislados sobre su teoría total, un comentario sobre el punto de vista, otro sobre los personajes, otro sobre la trama.

Trama

En el romance, encontramos uno de estos comentarios sueltos proveniente del mismo juglar. Muchas veces, dentro del mismo romance, el juglar pide nuestra atención, y esta petición afirma la veracidad de todo lo que pasó allí.

> — ¡Abenámar, Abenámar,   moro de la morería,
> el día que tú naciste — grandes señales había!
> Estaba la mar en calma, — la luna estaba crecida:
> moro que en tal signo nace, — no debe decir mentira —.
> Allí respondiera el moro, — bien oiréis lo que decía: 5
> (P-1, 49) (M-1, 97-8)

Esta tradición en el romance viene a ser un comentario teórico sobre el origen de los acontecimientos.

Seres humanos

Ramón de Mesonero Romanos en su crítica y parodia de las exageraciones del romanticismo nos da unas indicaciones interesantes de cómo era el personaje romántico. Se burla de estos personajes, pero a la vez define algunas cualidades y nos hace ver con toda claridad que había una teoría latente sobre el personaje y otros aspectos del romanticismo. La cita que sigue la sacamos del artículo, «El romanticismo y los románticos.»

> La primera aplicación que mi sobrino creyó deber hacer de adquisición tan importante, fué a su propia persona física, esmerándose en poetizarla por medio del romanticismo aplicado al tocador.
> . . . .

Por de pronto eliminó el frac, por considerarle del tiempo de la decadencia; y aunque no del todo conforme con la levita, hubo de transigir con ella, como más análoga a la sensibilidad de la expresión. Luego suprimió el chaleco, por redundante; luego el cuello de la camisa, por inconexo; luego   5 las cadenas y relojes, los botones y alfileres, por minuciosos y mecánicos; después los guantes, por embarazosos; luego las aguas de olor, los cepillos, el barniz de las botas, y las navajas de afeitar, y otros mil adminículos que los que no alcanzamos la perfección romántica creemos indispensables y de   10 todo rigor.

. . . .

Quedó pues, reducido todo el atavío de su persona a un estrecho pantalón, que designaba la musculatura pronunciada de aquellas piernas; una levitilla de menguada faldamenta y abrochada tenazmente hasta la nuez de la garganta; un pañuelo negro descuidadamente anudado en torno de ésta, y   15 un sombrero de misteriosa forma, fuertemente introducido hasta la ceja izquierda. Por bajo de él descolgábanse de entrambos lados de la cabeza dos guedejas de pelo negro y barnizado, que formando un doble bucle convexo, se introducían por bajo de las orejas, haciendo desaparecer éstas de la   20 vista del espectador; las patillas, la barba y el bigote, formando una continuación de aquella espesura, daban con dificultad permiso para blanquear a dos mejillas lívidas, dos labios mortecinos, una afilada nariz, dos ojos grandes, negros y de mirar sombrío, una frente triangular y *fatídica*. (P-2,   25 320-321)

Tiempo

Los románticos, procurando siempre romper con las normas clásicas, no observaban la unidad de tiempo. Hacían esto con plena conciencia de la arbitrariedad del acto; lo hacían porque querían y podían. En un monólogo, Leonor, la heroína de *Don Alvaro*, hace constar que ha pasado un año.

¡Qué asperezas!   ¡Qué hermosa y clara
    luna!
¡La misma que hace un año
Vió la mudanza atroz de mi fortuna,
Y abrirse los infiernos en mi daño!   5
(P-2, 272)

No resulta la técnica muy sutil, pero muchas veces los dramaturgos románticos se limitaban a poner una indicación escenográfica de la marcha rápida o más bien del vuelo del tiempo como por ejemplo «cinco años después». Estos casos son comentarios teóricos sobre el control de la marcha del tiempo.

Espacio

Tardíamente Gustavo Adolfo Bécquer expresa la actitud de casi todos los románticos hacia los cinco sentidos. La rima XI expresa perfectamente esa actitud.

> — Yo soy ardiente, yo soy morena,
> yo soy el símbolo de la pasión;
> de ansia de goces mi alma está llena;
> ¿a mí me buscas? — No es a ti, no.

> — Mi frente es pálida; mis trenzas, de oro;   5
> puedo brindarte dichas sin fin;
> yo de ternura guardo un tesoro:
> ¿a mí me llamas? — No, no es a ti.

> — Yo soy un sueño, un imposible,
> vano fantasma de niebla y luz;   10
> soy incorpórea, soy intangible;
> no puedo amarte. — ¡Oh, ven; ven tú!
> (PN-1, 204)

Vemos en la rima una actitud muy negativa hacia los cinco sentidos y si estudiamos la obra romántica en general encontraremos la misma negación, la misma falta de estos cinco sentidos. Esto sigue cierta lógica ya que el amor, tema predilecto de los románticos es completamente platónico y puro y nada tiene que ver con los placeres sensuales que nos pueden brindar las rubias y morenas.

Punto de vista

Mariano José de Larra no adoptó la pose literaria de los otros románticos. Escribía desde el punto de vista de un escritor, y muchas veces, él, escritor, era el personaje central de su cuento o artículo. En esto se acerca bastante al yoísmo de Azorín y en muchas facetas de su obra como su actitud negativa existe un parentesco muy estrecho con esta generación que le admiraba mucho. En cualquier frase del artículo «El día de difuntos de 1836» de Larra se puede ver con toda claridad que él está hablando sobre sí mismo, sobre el escritor Fígaro, y que él va a ser el personaje eje del artículo. «¡Día de difuntos! exclamé; y el bronce herido que anunciaba con lamentable clamor la ausencia eterna de los que han sido, parecía vibrar más lúgubre que ningún año, como si presagiase su propia muerte.» Amigo íntimo de los otros románticos, completamente familiarizado con el punto de vista de ellos, Larra adoptó un punto de vista radicalmente diferente. Podemos considerar este hecho un comentario teórico.

Proceder estilístico

Los versos que citaremos de *Don Juan Tenorio* tendrán que considerarse como un comentario teórico sobre el estilo. Muestran la libertad, llevada al absurdo, en el empleo de muchas formas de versos. Como sabemos los clásicos empleaban un sólo tipo de verso.

ESCENA XI

Don Juan, Lucía y Ciutti
    Lucía
¿Qué queréis, buen caballero?
    Don Juan
    Quiero . . .   5
    Lucía
¿Qué queréis? Vamos a ver.
    Don Juan
    Ver . . .
    Lucía   10
¿Ver? ¿Qué veréis a esta hora?
    Don Juan
    A tu señora.
    Lucía
Idos, hidalgo, en mal hora;   15
¿quién pensáis que vive aquí?
    Don Juan
Doña Ana Pantoja, y
quiero ver a tu señora.
    Lucía   20
¿Sabéis que casa doña Ana?
    Don Juan
    Sí, mañana.
    Lucía

Y ¿ha de ser tan infiel ya?   25
   Don Juan
  Sí será.
   Lucía
Pues ¿no es de don Luis Mejía?
   Don Juan   30
  ¡Ca! Otro día.
Hoy no es mañana, Lucía;
yo he de estar hoy con doña Ana,
y si se casa mañana,
mañana será otro día. (M-1, 556)   35

Estos versos tan complejos se llaman ovillejos y consisten en tres versos octasilábicos, cruzados con tres pies quebrados, y rematado con una redondilla cuyo último verso contiene los tres pies quebrados. El comentario, creemos, va más lejos. Aquí Zorrilla está mostrando su maestría, su virtuosismo en el manejo de los versos y tal vez la importancia de la forma de la poesía sobre el contenido de su obra.

Lo axiológico

También *Don Juan Tenorio* nos brinda otro comentario que puede considerarse teórico en estas palabras de doña Inés.

LA SOMBRA DE DOÑA INÉS

Para ti;
mas tengo mi purgatorio
en ese mármol mortuorio
que labraron para mí.
Yo a Dios mi alma ofrecí   5
en precio de tu alma impura,
y Dios, al ver la ternura
con que te amaba mi afán,
me dijo: «Espera a don Juan
en tu misma sepultura.   10
   Y pues quieres ser tan fiel
a un amor de Satanás,
con don Juan te salvarás,
o te perderás con él. (delR-2, 201) (M-1, 582)

Aquí como en tantas otras partes el autor indica que en la escala de valores el amor ocupa el lugar más alto. Vale más que la familia, la sociedad, la vida o la misma salvación.

Lo extra-artístico

Existen tantos casos en la literatura española en que podemos vislumbrar un algo, un valor que transciende lo artístico de la obra. Notable entre estos valores extra-artísticos es el afán de la inmortalidad, de sobrevivir por medio de la obra o por la fama. Recordamos el autorretrato de Velázquez que él ha colocado en el fondo de su obra maestra «Las meninas.» Cervantes pone en boca de don Quijote la teoría de que todo hombre que hace hazañas o escribe, (él ha hecho las dos cosas) piensa en la fama, en la inmortalidad de la gloria.

Yendo, pues, caminando nuestro flamante aventurero, iba hablando consigo mesmo y diciendo: — ¿Quién duda sino que en los venideros tiempos, cuando salga a luz la verdadera historia de mis famosos hechos, que el sabio que los escribiere no ponga, cuando llegue a contar esta mi primera salida tan   5
de mañana, desta manera? : «Apenas había el rubicundo Apolo tendido por la faz de la ancha y espaciosa tierra las doradas hebras de sus hermosos cabellos, y apenas los pequeños y pintados pajarillos con sus harpadas lenguas habían saludado con dulce y meliflua armonía la venida de la   10
rosada aurora, que, dejando la blanda cama del celoso marido, por las puertas y balcones del manchego horizonte a los mortales se mostraba, cuando el famoso caballero don Quijote de la Mancha, dejando las ociosas plumas, subió sobre su famoso caballo Rocinante, y comenzó a caminar por el   15
antiguo y conocido campo de Montiel.» Y era la verdad que por él caminaba. Y añadió diciendo: «Dichosa edad y siglo dichoso aquel adonde saldrán a luz las famosas hazañas mías, dignas de entallarse en bronces, esculpirse en mármoles y pintarse en tablas, para memoria en lo futuro.» (delR-1, 488)   20

Este mismo valor extra-artístico, entre otros muchos, está expresado de un modo directo y original en las *Coplas* de Jorge Manrique, poema que participa de la moral de la Edad Media.

Non se os haga tan amarga
la batalla temerosa
        que esperáis,
pues otra vida más larga
de fama tan gloriosa   5
        acá dejáis;
aunque esta vida de honor

tampoco no es eternal
   ni verdadera,
mas con todo es muy mejor   10
que la otra temporal
   perecedera.
(delR-1, 160) (P-1, 40) (M-1, 92)

Parentesco literario

Siempre ha habido entre los escritores la idea o la teoría de que la misma literatura sirve como fuente para la creación. Cuando los creadores literarios citan un trozo de otra literatura están declarando abiertamente su deuda y confesando que una obra, sobre todo una obra maestra, es el resultado del esfuerzo de un sin número de escritores geniales. Unamuno al citar un trozo de la Biblia — fuente casi inagotable de la inspiración literaria — muestra claramente que entendía y aceptaba este aspecto teórico de la creación literaria. De hecho, sin la Biblia y su larga tradición, la nívola de Unamuno perdería mucho de su impacto. «Si sólo en esta vida esperamos en Cristo, somos los más miserables de los hombres todos. San Pablo, Corintios, XV, 19.» (M-1, 149) (PN-2, 31)

En estos ejemplos hemos citado muchas obras románticas. Esto tiene cierta lógica ya que los románticos estaban siempre conscientes de su rompimiento con las teorías del pasado. Y, aunque ellos no lo admitían, iban formando sus propias teorías y sus propias reglas. Estas reglas, aunque no expresadas sistemáticamente, eran obedecidas rigurosamente en sus obras, probando una vez más, que no hay y no puede haber literatura sin teoría literaria.

Hemos optado por escoger las teorías de las obras mismas en vez de sacarlas de los prólogos, manifiestos y comentarios de los autores. Estos comentarios directos no se encuentran en las antologías, y el estudiante depende de los manuales y del profesor para informarse de ellos. También, en la clase, su trabajo principal será deducir o vislumbrar una teoría en la obra misma.

PREGUNTAS

1. ¿Puede formularse tentativamente una teoría literaria a base de la lectura de esta obra solamente?
2. ¿Qué contribuyen las obras anteriores de este autor a una formulación de sus teorías?

3. Sus obras posteriores a la que se estudia, ¿aclaran ciertas facetas de sus teorías?

4. ¿Ha explicado el autor sus teorías en forma analítica y explícita, sea en obras críticas, en prólogos y ensayos familiares o en entrevistas?

5. ¿Hay cambio o evolución en sus teorías, vistas en sus creaciones o explicadas formalmente?

6. Si el autor ha explicado sus teorías, ¿ejemplifican bien sus creaciones literarias lo que ha pretendido explicar?

7. ¿Corresponden sus teorías claramente a una escuela o a un movimiento literario? ¿Qué diferencias e innovaciones hay?

8. ¿Están de acuerdo los comentaristas al hablar de las teorías de nuestro autor?

9. ¿Ha entrado en polémica nuestro autor sobre la cuestión de teorías literarias?

10. Los resultados prácticos de las teorías de nuestro autor, ¿se ven con especial claridad en ciertos aspectos de los otros nueve que vamos considerando?   ¿Se ven con claridad algunas teorías implícitas en esta obra sobre algún aspecto particular como el punto de vista, el tiempo, los valores, etc.?

Parentesco literario

Toda obra literaria, por original que sea, tiene parentesco literario. No puede existir aislada de otras obras literarias de su tiempo y de tiempos anteriores. En efecto, podemos afirmar que una de las bases de la literatura es la literatura misma.

No es necesario conocer al autor para estudiar el parentesco literario de sus obras. Hasta entre los romances viejos, anónimos, se nota un evidente parentesco. Podemos suponer que los que componían romances tenían bien en cuenta los romances ya compuestos, y aun los cantares de gesta a que aparentemente deben su origen. Hasta tal punto es evidente el parentesco entre un romance y el romancero como una totalidad, que hay alusiones, imágenes y aun versos enteros que se encuentran en varios romances de asunto y de época muy distintos.

Por otra parte Cervantes, en su *Quijote*, combina la originalidad innegable con una fuerte deuda a la novela caballeresca, la pastoril, etc.

Desde luego, el parentesco literario no se limita a una sola época, ni a una sola literatura, ni siquiera a la literatura. Durante el período romántico, por ejemplo, primero los alemanes y luego los españoles se inspiraron en el teatro de Pedro Calderón de la Barca y en el romancero. También devoraron las obras de otros románticos, de Sir Walter Scott y de Lord Byron, ingleses, y de Victor Hugo, francés. Y para agregar una más a las infinitas formas que puede tomar el parentesco literario, hay que ver la influencia que puede haber tenido la ópera italiana de Rossini y otros en la escenografía del drama romántico. Seguramente estas innovaciones escenográficas daban nuevas y grandes libertades a los dramaturgos románticos.

Para cada obra literaria hay tres círculos de parentesco: el del autor mismo, de la época o la escuela literaria y el de la literatura nacional y universal. Noten que en el último círculo nacional y universal el parentesco puede ser horizontal y vertical, o sea que existen parentescos con obras de otras naciones y también parentescos con obras que se escribieron en siglos anteriores o posteriores. En el primer círculo conviene estudiar la relación de una obra con las otras obras que escribió el mismo autor. Tales estudios revelan muchas veces grandes cambios en el sentimiento y técnica del autor, pero otras veces revelan un desarrollo continuo y constante de su arte.

Cada autor escribe dentro de una época y esta época trae sus costumbres y cánones literarios. El parentesco entre una obra y las otras de la misma época o escuela literaria, sea negativo o positivo, siempre nos enseña algo sobre el *modus operandi* creador del autor. Es más, como el campo literario es vastísimo, precisamos comprender la obra particular, dentro de lo posible, como parte de una época, escuela o tendencia literaria. Las obras maestras, claro está, se escapan de un parentesco estrecho con su época, cobrando unos parentescos más universales, pero sí tienen un parentesco, íntimo y profundo y vale la pena buscarlo.

En el estudio de la literatura conviene viajar mucho. Estos viajes literarios a otros países y culturas nos enriquecen el caudal de sentimientos y conocimientos tan necesarios para gozar plenamente de cualquier obra literaria. Si al leer *San Manuel bueno, mártir* de Miguel de Unamuno no pensamos en el capítulo de *Los hermanos Karamazov* llamado «El gran inquisidor,» no llegamos a apreciar debidamente esta nívola genial de Unamuno. Tanto en *San Manuel* como en «El gran inquisidor» hay hombres incrédulos que fingen creer para el bien de las masas: El inquisidor, hombre frío, orgulloso; San Manuel hombre humilde y calurosamente humano.

El parentesco literario puede ser positivo, como acabamos de ver. Pero también puede ser negativo o de contrapunto. Lope de Vega, como hemos visto al estudiar la teoría literaria, desatiende los modelos de la antigüedad clásica para crear un nuevo teatro nacional. De la misma época, el poeta Luis de Góngora crea el estilo poético llamado culterano, apelando así a un público reducido pero sumamente culto, que podía seguir todas las alusiones cultas de su poesía. Surgió, entonces, una división marcada entre los poetas como Góngora, los culteranistas, y otros poetas considerados como ordinarios, los conceptistas, entre ellos Lope de Vega. Tal fue el desacuerdo entre los dos estilos, que abundaban los poemas polémicos, ataques violentos, ingeniosos, y de dudoso gusto, contra los partidarios de uno y de otro bando. Esta polémica constituye uno de los mejores ejemplos de parentesco literario negativo o de contrapunto.

Como es evidente, el estudio del parentesco literario de una obra puede ser bastante complejo. Supone conocimientos literarios y extraliterarios extensos. Para que el estudiante no se pierda en el laberinto de las relaciones y tradiciones literarias, le aconsejamos que siga, dentro de este aspecto número 10, el sistema de los aspectos. O sea, que considere aisladamente cada uno de los demás aspectos, bajo la luz de todos sus conocimientos, de todo su «bagaje» cultural, pretendiendo ver en cada caso si hay parentesco entre la obra que se estudia y otras. (Aquí nos permitimos reiterar nuestro concepto de este sistema de estudio literario. Nuestro sistema no es único ni indispensable. Pero es un sistema. Bien puede ayudar al estudiante que lo maneje con cierta inteligencia y sin abusar. Si en ciertos casos parece dificultar el estudio de una obra dada, prescíndase del sistema; y proceda el estudiante, con la orientación del profesor y con su propia sensibilidad, según las exigencias del caso. La obra literaria es, después de todo, una creación genial y única; nuestro sistema, como todo sistema, no deja de ser un tanto forzado y arbitrario.)

Las diez preguntas que corresponden a este aspecto tomarán la forma de breves consideraciones de cada uno de los demás aspectos, con una pregunta final sobre el parentesco literario en general.

Trama

Es fácil ver la relación entre la trama de distintas obras. A menudo los autores usan los mismos acontecimientos. Comparen el comienzo de *Las nubes* con el de la *Celestina*.

Calisto y Melibea se casaron — como sabrá el lector, si ha leído *La Celestina* — a pocos días de ser descubiertas las rebozadas entrevistas que tenían en el jardín. Se enamoró Calisto de la que después había de ser su mujer un día que entró en la huerta de Melibea persiguiendo un halcón. Hace   5 de esto diez y ocho años. Veintitrés tenía entonces Calisto. Viven ahora marido y mujer en la casa solariega de Melibea; una hija les nació que lleva, como su abuela, el nombre de Alisa.

. . . .

En el jardín todo es silencio y paz. En lo alto de la solana, recostado sobre la barandilla, Calisto contempla extático a su hija. De pronto, un halcón aparece revolando rápida y violentamente por entre los árboles. Tras él, persiguiéndole, todo agitado y descompuesto, surge un mancebo. Al llegar frente a   5 Alisa, se detiene absorto, sonríe y comienza a hablarla. (P-2, 536-8)

≪Entrando Calisto en una huerta en pos de un halcón suyo, halló allí a Melibea, de cuyo amor preso, comenzóle de hablar. De la cual rigorosamente despedido, fue para su casa muy angustiado.≫ (P-1, 65)

Seres humanos

La base literaria del personaje la Celestina es la Trotaconventos en *El libro de buen amor* del Arcipreste de Hita, Juan Ruiz. Fernando de Rojas ha tomado más que el tipo y el oficio. En las dos obras vemos que a pesar de su oficio poco respetable, es una mujer apreciada y bienquista por los que necesitan sus servicios. Es más, en las dos obras es católica. En la obra de Fernando de Rojas pide confesión al morir. Y en *El libro de buen amor* el Arcipreste se imagina que tiene su lugar en el cielo.

Así fue, ¡qué desgracia!, que mi vieja ya es muerta, ¡grande es mi desconsuelo! ¡murió mi vieja experta! No sé decir mi pena, mas mucha buena puerta que me ha sido cerrada, para mí estaba abierta. (B, 71)

CELESTE.   ¡Ay, que me ha muerto! ¡Ay, ay, confesión,   5 confesión!

PÁRM.   Dale, dale, acábala, pues comenzaste, que nos sentirán. ¡Muera, muera! De los enemigos, los menos.

CELEST.   ¡Confesión!

ELICIA.   ¡Oh crueles enemigos! En mal poder os veáis, ¿y   10
para quién tuvisteis manos? Muerta es mi madre y mi
bien todo. (B, 132) (delR-1, 217)

El tiempo

Ya que la marcha del tiempo en gran parte de las obras narrativas
anteriores a la obra de Blasco Ibáñez, Clarín, la Pardo Bazán y
Galdós era rápida, estos autores buscaron un modelo para el tiempo
moroso en otros autores. Lo encontraron en las obras realistas y
naturalistas de Flaubert y Zola. Comparen ustedes la rapidez con que
suceden los acontecimientos en los primeros capítulos del *Quijote*
con la morosidad relativa de muchas escenas de *Torquemada en la
hoguera*.

El espacio

En el método de atravesar y delimitar el espacio vemos una
relación entre Galdós y Baroja. Los dos escribieron novelas porosas,
o sea novelas con pocas limitaciones espaciales. Los dos emplearon
más o menos la misma técnica para llevar al lector de un lugar a otro:
son los personajes mismos. En *Torquemada en la hoguera* el oficio
de Torquemada, el de prestamista, facilita esta técnica. Ya que presta
dinero y procura cobrarlo en muchas partes, es él quien conduce al
lector por todas las calles de Madrid. (P-2, 454) Y en *El árbol de la
ciencia* Andrés Hurtado conoce a Lulú porque es llevado a su casa
por su amigo Julio Aracil.

UNA CACHUPINADA

Antes de Carnaval, Julio Aracil le dijo a Hurtado:
— ¿Sabes? Vamos a tener baile en casa de las Minglanillas.
— ¡Hombre! ¿Cuándo va a ser eso?
— El domingo de Carnaval. El petróleo para la luz y las
pastas, el alquiler del piano y el pianista se pagarán entre   5
todos. De manera que si tú quieres ser de la cuadrilla, ya estás
apoquinando.
— Bueno. No hay inconveniente. ¿Cuánto hay que pagar?
— Ya te lo diré uno de estos días.

.   .   .   .

El domingo de Carnaval, después de salir de guardia del   10
Hospital, fué Hurtado al baile. Eran ya las once de la noche.

El sereno abrió la puerta. La casa de doña Leonarda rebosaba
de gente; la había hasta en la escalera.

Al entrar Andrés se encontró a Julio en un grupo de
jóvenes a quienes no conocía. Julio le presentó a un sai-   15
netero, un hombre estúpido y fúnebre, que a las primeras
palabras, para demostrar sin duda su profesión, dijo unos
cuantos chistes, a cuál más conocidos y vulgares. También le
presentó a Antoñito Casares, empleado y periodista, hombre
de gran partido entre las mujeres.   20

. . . .
    Cuando comenzaron a tocar el piano todos los muchachos
se lanzaron en busca de pareja.

    — ¿Tú sabes bailar? — le preguntó Aracil a Hurtado.

    — Yo, no.

    — Pues mira, vete al lado de Lulú, que tampoco quiere   25
bailar, y trátala con consideración. (PN-2, 97-9)

Punto de vista

En cuanto al punto de vista narrativo hay una semejanza bastante
obvia entre Juan Ruiz y Azorín. Los dos se dirigen al lector en
primera persona, hablando de sí mismos; siempre de un modo
original, cada uno es el yo-protagonista de su obra. Está en el mero
centro de su mundo creado. La diferencia radica en que Juan Ruiz
cuenta sus amores, mientras que Azorín trata de captar los momentos más sutiles de su vida, los momentos efímeros.

Proceder estilístico

El parentesco literario aparece en varias formas. Tal vez la forma
más sencilla es la cita literaria. Vemos que Cervantes cita directamente a Feliciano de Silva en el *Quijote*.

    Y de todos, ningunos le parecían tan bien como los que
    compuso el famoso Feliciano de Silva; porque la claridad de
    su prosa y aquellas intricadas razones suyas le parecían de
    perlas, y más cuando llegaba a leer aquellos requiebros y
    cartas de desafíos, donde en muchas partes hallaba escrito: 5
    «La razón de la sinrazón que a mi razón se hace, de tal
    manera mi razón enflaquece, que con razón me quejo de la
    vuestra fermosura.» (B, 210) (delR-1, 415) (P-1, 202)

Cuando leemos algunas obras tenemos la impresión de que hay un
eco, una resonancia de otras obras. Este eco es, a menudo, difícil de

precisar. Sin embargo, un estudio más exigente casi siempre revela la naturaleza del parentesco literario. Nos impresiona este eco cuando leemos la prosa de Valera e inmediatamente pensamos en Cervantes. Haciendo una ligera comparación vemos que Valera maneja la frase cervantina que le da a su prosa un ritmo animado y elegante, un nivel retórico bastante alto. Pero la semejanza es aun más precisa y exacta. Observando las frases detalladamente vemos que tanto en las de Cervantes como en las de Valera todas las proposiciones y las partes de la oración vienen duplicadas. Es decir que muchas veces hay dos adjetivos, dos verbos, dos sustantivos, etc. En los trozos que citaremos de *El doble sacrificio* y del *Quijote* las partes duplicadas de la oración vienen subrayadas.

Mi *querido* y *respetado* maestro: El tío Paco, que lleva desde aquí *vino* y *aceite* a esa ciudad, me acaba de entregar la carta de usted del 4, a la que me apresuro a contestar para que usted *se tranquilice* y *forme mejor* opinión de mí. Yo *no estoy enamorado de* doña Juana *ni la persigo* como ella se figura. Doña Juana es una mujer *singular* y hasta cierto punto *peligrosa*, lo confieso. Hará seis años, cuando ella tenía cerca de treinta, logró casarse con el rico labrador D. Gregorio. Nadie la acusa de infiel, pero sí de que tiene embaucado a su marido, de que le manda a zapatazos y le *trae* y *lleva* como un zarandillo. Es ella tan *presumida* y tan *vana*, que cree y ha hecho creer a su marido que no hay hombre que *no se enamore* de ella y que *no la persiga*. Si he de decir la verdad, doña Juana *no es fea*, pero *tampoco es muy bonita*; y *ni por alta, ni por baja, ni por muy delgada, ni por gruesa* llama la atención de nadie. (PN-1, 221-2)   5   10   15

Tenía en su casa *una ama* que *pasaba de los cuarenta*, y *una sobrina* que *no llegaba a los veinte*, y un mozo de *campo* y *plaza*, que así *ensillaba* el rocín como *tomaba* la podadera. Frisaba la edad de nuestro hidalgo con los cincuenta años; era de complexión|recia, *seco de carnes, enjuto de rostro, gran madrugador* y *amigo* de la caza. (B, 210) (delR-1, 414-5) (P-1, 202)   20

Lo axiológico

Los valores tradicionales de España quedan en pie hasta el siglo XIX. Durante la época romántica vemos la primera erosión de estos valores tradicionales. Vemos tal vez las más sinceras dudas sobre estos valores en Mariano José de Larra. El cree ver claramente la decadencia y el desmoronamiento de España cuando compara todo Madrid con un cementerio. «Vamos claros, dije yo para mí, ¿dónde está el cementerio? ¿fuera o dentro? Un vértigo espantoso se apoderó de mí, y comencé a ver claro. El cementerio está dentro de Madrid. Madrid es el cementerio. Pero vasto cementerio, donde cada casa es el nicho de una familia, cada calle el supulcro de un acontecimiento, cada corazón la urna cineraria de una esperanza o de un deseo.

«Entonces, y en tanto que los que creen vivir acudían a la mansión que presumen de los muertos, yo comencé a pasear con toda la devoción y recogimiento de que soy capaz las calles del grande osario.»(PN-1, 71) Su pesimismo y su actitud negativa hacia los viejos valores de España le dan un parentesco íntimo con los miembros de la generación del 98. Baroja muestra una actitud aun más acerba y negativa cuando llama estercolero humano a un hospital.

> Aracil, Montaner y Hurtado visitaron una sala de mujeres de San Juan de Dios.
> Para un hombre excitado e inquieto como Andrés, el espectáculo tenía que ser deprimente. Las enfermas eran de lo más caído y miserable. Ver tanta desdichada sin hogar,   5
> abandonada, en una sala negra, en un estercolero humano; comprobar y evidenciar la podredumbre que envenena la vida sexual, le hizo a Andrés una angustiosa impresión. (PN-2, 94)

Fin artístico y extra-artístico

Es fácil ver el parentesco que existe entre el fin artístico y el fin extra-artístico en las novelas picarescas. El fin principal de la novela picaresca es el de divertir, de hacernos reír. Puede considerarse la novela picaresca como una serie de chistes narrados o presentados dramáticamente. También es de suponer que hay una crítica de la sociedad latente en cada obra picaresca, y esta crítica tiene que ser algo extra-artístico. Hay un parentesco muy estrecho en casi todas las novelas picarescas. Es el fin didáctico que casi todas tienen o fingen tener. El autor casi siempre declara abiertamente este fin extra-artístico de enseñar por medio de los malos ejemplos de su antihéroe el pícaro. Veamos estos dos ejemplos donde el autor declara abiertamente su intención didáctica. Este primero es de *El buscón* de Quevedo y habla el mismo pícaro don Pablos. «Yo, que vi que duraba mucho este negocio, y más la fortuna en perseguirme, no de escarmentado (que no soy tan cuerdo, sino de cansado, como obstinado pecador), determiné . . . de pasarme a Indias . . . a ver si mudando mundo y tierra mejoraría mi suerte. Y fuéme peor, pues nunca mejora su estado quien muda solamente de lugar, y no de vida y de costumbres.≫ (delR-1, 663) El segundo ejemplo es de *Guzmán de Alfarache* de Mateo Alemán. También habla el anti-héroe. ≪Suelen decir vulgarmente que aunque vistan a la mona de seda, mona se queda. Esta es en tanto grado verdad infalible, que no padece excepción. Bien podrá uno vestirse un buen hábito; pero no por el mudar el malo que tiene podría entretener y engañar con el vestido, mas el mismo fuera desnudo. Presto me pondré galán y en breve volveré a ganapán. Que el que no sabe con sudor ganar, fácilmente se viene a perder, como verás adelante.≫ (delR-1, 681)

Teoría literaria

El parentesco que existe entre las teorías literarias no tiene que estar espuesto en un prólogo ni en un manifiesto literario. Seguramente los estudios que hizo Valera de la literatura clásica influyeron bastante en la formación de su concepto de lo que debe ser la literatura. Como ha afirmado y repetido a menudo, la literatura no debe enseñar sino agradar; ≪el arte existe por el arte.≫

Parentesco literario

¿Parece haber un parentesco general, de toda la obra, en todos sus aspectos, con otra obra semejante? ¿Es parodia, continuación, imitación halagadora, etc.?

PREGUNTAS

1. Al leer la obra ¿cuál fue el parentesco que se destacó primero?
2. ¿Esta obra queda bien dentro de los cánones literarios de su época?
3. ¿Es una obra típica del autor?
4. ¿Tiene esta obra un parentesco estrecho con las obras españolas del pasado? ¿Es esto un parentesco total o parcial, de uno o dos aspectos?
5. ¿Tiene la obra un parentesco estrecho con alguna obra que se escribió después? Si es que lo tiene, ¿qué puede indicar esto en cuanto al posible valor de la obra?

6. ¿Hay parentescos universales en la obra? Si los hay, ¿son totales o parciales?

7. ¿Este aspecto universal quita algo del valor español o nacional de la obra?

8. ¿Las obras maestras como *Don Quijote* tienen más parentesco con otras obras o menos? ¿Por qué?

9. ¿Qué valor tiene el parentesco literario en general?

10. ¿El ver claramente estos parentescos, aspecto por aspecto, ayuda al estudiante serio en sus esfuerzos de mejor comprender y organizar la literatura en general?

Diez pasos
en el estudio de un poema

1. Comprensión básica del lenguaje
   a. Explicación de palabras difíciles o de matices especiales
   b. Explicación de datos y alusiones históricos o tópicos
2. Comprensión de la estructura formal
   a. Explicación de la estructura formal: rima, métrica, estrofas (Véase «El verso español» de este libro)
   b. Explicación del núcleo narrativo o del tema estructural: lo que parece decir o contar en el sentido más obvio
3. Lectura oral
4. Impresión personal
5. Análisis de tres facetas del contenido del poema: sentimiento, sensación física e idea
6. Discusión de los recursos, entre ellos los tropos de nuestra lista, que ha empleado el poeta
7. Discusión de los aspectos de la creación literaria (Véase sección anterior) que puede haber manejado el poeta
8. Discusión de la síntesis, la unicidad, el dinamismo y la falta de lógica del poema
9. Discusión del título del poema
10. Formulación del tema íntimo del poema: la unicidad en términos de lo genérico; diferencia entre el poema analizado, desintegrado, y el poema recreado, total: lo inefable

Estos diez pasos en el estudio de un poema, como los diez aspectos de la creación de una obra más extensa, son algo arbitrarios. No nos disculpamos, sin embargo. Consideramos que este sistema puede ayudar al estudiante a adentrarse en un poema y aun en el mundo muy especial de la poesía. Naturalmente, contamos siempre con la orientación del profesor y con la sensibilidad y las buenas intenciones del estudiante.

Para facilitar la explicación de nuestros pasos, presentamos primero los pasos en forma de lista. Luego comentamos brevemente cada paso, aduciendo ejemplos concretos donde parece conveniente. Además de los ejemplos que citamos, más o menos al azar, de toda la lírica española, vamos a realizar el estudio, paso por paso, de un solo poema para que nuestra explicación cobre más coherencia. El poema que comentamos es uno de Antonio Machado; lo transcribimos a continuación.

Y no es verdad, dolor: yo te conozco,
tú eres nostalgia de la vida buena
y soledad de corazón sombrío,
de barco sin naufragio y sin estrella.

Como perro olvidado que no tiene   5
huella ni olfato y yerra
por los caminos, sin camino, como
el niño que en la noche de una fiesta

se pierde entre el gentío
y el aire polvoriento y las candelas   10
chispeantes, atónito, y asombra
su corazón de música y de pena

así voy yo, borracho melancólico,
guitarrista lunático, poeta,
y pobre hombre en sueños,   15
siempre buscando a Dios entre la niebla.
(*Poesías completas*, 3° ed., Losada, 1951, p. 74)

Comprensión básica del lenguaje

Un buen diccionario en español, otro diccionario bilingüe y el vocabulario y las notas preparadas para ciertos libros de texto facilitan la comprensión literal del poema bajo estudio. Sin embargo, el profesor bien puede dedicar algunos minutos de su clase a la explicación de ciertas dificultades léxicas. De más importancia, quizá, son las alusiones, tanto a la historia verdadera o mitológica como a las cosas efímeras de una época pasada, a los tópicos. Hasta en un poema aparentemente fácil hay dificultades. Comprendemos bien la acción del romance «Prendimiento de Antoñito el Camborio en el camino de Sevilla» (PN-2, 249) de García Lorca. Pero hay palabras corrientes empleadas de una manera muy especial – el gitano es «moreno de verde luna», por ejemplo. Lo moreno se entiende, aunque hay que notar la insistencia de Lorca en la tez oscura de sus gitanos. Lo de la verde luna no resulta tan fácil. El valor simbólico de la luna (y ¿por qué verde?) bien merece una explicación provisional y una discusión más amplia.

Nuestro poema

El lenguaje de «Y no es verdad, dolor: yo te conozco», no ofrece grandes dificultades. Tal vez vale la pena señalar que las «candelas» no son siempre de cebo como los *candles* en inglés. Estas candelas chispeantes bien pueden ser otra especie de iluminación, de gas o de petróleo, por ejemplo. No hay alusiones especiales con la posible excepción de «la noche de una fiesta». Quien no ha presenciado una fiesta popular en las calles de un barrio de una ciudad española (o mexicana), difícilmente puede imaginarse el bullicio, la confusión, el juego de luz y sombra, el ruido y las posibilidades de desorientación y de soledad.

Comprensión de la estructura formal

El poeta al componer su poema casi siempre se vale de una estructura poética ya existente. Pocas veces crea su propia forma poética, y aun creándola, siempre tendrá algún parentesco con otra estructura o forma poética. En las palabras de Clarín, el poeta no crea la tierra sobre la cual pisa. Explota una forma o estructura ya existente como el soneto, el romance, la décima, la redondilla, etc. Esta forma da cierta unidad y hasta cierta lógica exterior a la expresión poética que intrínsecamente no la tiene. Es una limitación que el creador poético se impone a sí mismo, a sabiendas de que no lo tiene que hacer. Así el estudiante debe saber todos los aspectos técnicos de la estructura antes de estudiar el poema. Debe saber la rima, la métrica, la estrofa, etc. Ver cómo el poeta explota esta estructura para comunicar su tema íntimo será una parte importante de la impresión total que reciba el estudiante del poema. Sin duda una parte del gozo estético que recibimos al leer «El Pastor divino»,

> Pastor, que con tus silbos amorosos
> me despertaste del profundo sueño;
> tú, que hiciste cayado de ese leño
> en que tiendes los brazos poderosos:
> vuelve los ojos a mi fe piadosos,   5
> pues te confieso por mi amor y dueño
> y la palabra de seguirte empeño
> tus dulces silbos y tus pies hermosos.
> Oye, Pastor, que por amores mueres,
> no te espante el rigor de mis pecados,   10
> pues tan amigo de rendidos eres.
> Espera, pues, y escucha mis cuidados —
> pero ¿cómo te digo que me esperes
> si estás para esperar los pies clavados? (B, 263)

proviene de ver cómo Lope de Vega ha expresado perfectamente su tema íntimo dentro de las rigurosas y estrictas limitaciones de un soneto.

Otro elemento que sirve para dar lógica y forma a la poesía que intrínsecamente no la tiene es el tema estructural. Este tema estructural muchas veces viene a ser tan sólo un esqueleto, un pretexto si se quiere, sobre el cual el poeta cuelga la substancia delicada y a veces efímera de su tema íntimo. Puede ser un núcleo narrativo, algo que acontece, o una idea. Los elementos de un poema son inseparables, pero en el análisis el tema estructural se separa como si fuera mero vehículo. Así el tema estructural de la «Serranilla» IX del Marqués de Santillana es, más o menos, lo que acontece en todas las serranillas: un caballero va por la sierra y se encuentra con una serrana rústica; le dice que la quiere; le ofrece regalos; y es aceptado o rechazado. Pero basta citar la última estrofa para mostrar que lo que comunica aquí el poeta es algo único, íntimo y sumamente delicado:

> Así concluimos
> el nuestro proceso
> sin facer exceso
> y nos avenimos.
> Y fueron las flores   5
> de cabe Espinama
> los encubridores.
> (B, 88) (delR-1, 121)

Nuestro poema

Antonio Machado emplea aquí una estructura formal nada rigurosa en comparación con el soneto, por ejemplo; sin embargo, dista mucho de ser verso libre. El poema es de 4 estrofas de 4 versos cada uno; los versos son de 11 sílabas con la excepción de tres que son de 7 sílabas. Esta forma se llama silva, y admite varios sistemas de rima. La rima de este poema es asonante en *e-a* en los versos pares.

El tema estructural, más que núcleo narrativo (no acontece nada), es una serie de evocaciones del dolor, la soledad y la desorientación del poeta. Primero habla el poeta con el dolor; luego hace dos comparaciones; y termina hablando de sí mismo como poeta.

Lectura oral

La interpretación oral puede facilitar mucho nuestro aprecio de un poema, sobre todo para la poesía española, donde la tradición de la declamación poética tiene una mayor actualidad que para la poesía en inglés.

Muchas veces el profesor es afortunadamente hábil y puede declamar él mismo el poema. También suele haber estudiantes de talento y soltura, sobre todo los de herencia hispánica, que pueden recitar los versos con naturalidad. En algunos casos, pocos, por desgracia, hay también grabaciones profesionales en disco o en cinta magnetofónica.

Nuestro poema

El que recita el poema de Machado tendrá que poner mucho cuidado sobre todo en las estrofas 2 y 3 para evitar ritmos falsos y pausas equivocadas. No hay pausa después de «tiene» en la segunda estrofa, por ejemplo, porque los complementos «huella» y «olfato» vienen en el verso siguiente. Este fenómeno de no corresponder la estructura sintáctica de la oración a la estructura del verso se denomina encabalgamiento. Bastante frecuente en la poesía moderna, puede desorientar al lector inadvertido, pero también puede ser bien manejado por el poeta para un efecto especial.

Impresión personal

Los primeros tres pasos se llevan a cabo con mucha cooperación del profesor, con la ayuda de los comentarios y las notas en el libro de texto, y quizá con el trabajo grabado de otros. Ahora le toca al estudiante hacer algo completamente suyo. Antes de emprender un análisis más riguroso del poema, debe tratar de formular su impresión personal, sintética, del poema. Esta formulación puede ser una descripción del efecto aparente de cada sección del poema con una conclusión o un breve ensayo personal sobre algunos elementos del poema. Es lícito y a veces deseable el empleo de lenguaje poético cuando el estudiante habla de esta impresión personal. Lo más importante es que se exprese con palabras propias, que esté libre de otras interpretaciones de más autoridad y que corresponda a su reacción personal.

Reproducimos a continuación las impresiones de un estudiante nuestro ante «A Francisco Salinas» de Fray Luis de León. (B, 149; delR-1, 388) No cambiamos ni una tilde.

Este poema es una bella representación del espíritu de la
música. Aquí, Fray Luis de León nos hace sentir la sensación
que le venía a él al escuchar la música de su amigo Salinas. En
la presentación del poema vemos la substancia de una sin-
fonía. Empieza calma y serena – y a medida que avanza la   5
poesía, el tono del poema va cambiando hasta llegar a un
punto de écstasis [*sic*] – de aquí baja a un punto de solemni-
dad. El efecto es el mismo que el de una composición de
Chopin o de Bach. Uno encuentra algo sublime en ella (la
música o la poesía – como en este caso) pero no la puede   10
captar definitivamente puesto que nunca para un instante,
siempre está en marcha. Quizá el efecto generalizador
[¿general?] es el de un instante de sublimación [¿sublimidad?] – y luego nada. Creo que es mejor así; si uno estuviera
[*sic*] en este estado de écstasis todo el tiempo, no se pudiera   15
distinguir como éctasis sino como lo común.

Fray Luis de León describe una |impresión [*sic*] sensual
sobre la música de Salinas. Una sensación física de lo que uno
solo piensa que existe en la mente. Poder describir una
impresión misteriosa es difícil, pero él la describió con toda   20
maestría.

¡Oh! suene de contino
Salinas, vuestro son en mis oídos,
por quien al bien divino
despiertan los sentidos,
quedando a lo demás adormecidos.   5

Estas impresiones son iniciales y tentativas; no pretenden ser otra
cosa. Además, pueden ser algo desiguales. Las alusiones a la música
sinfónica, o de Chopín o de Bach son sumamente vagas por no decir
anacrónicas. Sin embargo este estudiante ha captado bien, y ha
expresado en sus propias palabras, la momentaneidad de la comunicación mística («nunca para un instante»), y la imposibilidad
humana de una sublimidad constante («no se pudiera distinguir»).
Ha comenzado a ver algo de la función religiosa de la música para
Fray Luis, y puede realizar ahora un análisis más riguroso del poema.
Quizá entiende un poco más la experiencia mística, tan importante
en la tradición literaria del siglo XVI.

Nuestro poema

Primero la lectura de este poema hace que nos identifiquemos con
el «yo» del poeta. Por un momento somos este pobre hombre, solo

y empequeñecido como un perro olvidado. La impresión es algo como la de un ebrio en una fiesta, ebrio viejo por la experiencia y niño por la gran necesidad de tener fe y solidaridad humana. Este ebrio existe en un limbo y su gran dolor proviene de la imposibilidad de abrazar a la humanidad de la fiesta o a Dios a quien busca entre la niebla alcohólica. El dolor y la soledad de nuestro ebrio son aun más penetrantes porque sus esfuerzos para comunicar sus grandes sentimientos a todos y a Dios se reducen a una sonrisa loca y estúpida que nadie entiende.

La impresión personal debe comenzar con algo como *yo,* o *yo* lector. No deben dar su opinión o su parecer. Tampoco interesa saber lo que el autor haya querido decir o lo que el poema pueda significar. Lo que sí importa e interesa es saber en sus propias palabras lo que ha sentido al leer el poema. Muchas veces un adjetivo o un nombre no expresa este algo especial que ha sentido al leer el poema; precisa de modificación. La palabra tristeza, por ejemplo, es demasiado abstracta o general, y por eso el estudiante tendrá que modificarla. Puede, por ejemplo, hablar de la tristeza del no saber, del fracaso, de la frustración. Muchas veces una experiencia paralela expresa este algo, esta impresión personal, perfectamente bien.

Sentimiento, sensación física e idea

Al separar analíticamente estas tres facetas de un poema, esperamos ver mejor la relación de ellas entre sí, y la relación de todas con los otros elementos del poema. También será posible señalar muchas veces diferencias marcadas entre un poema y otro, o entre la técnica de un poeta y la de otro.

Tradicionalmente el sentimiento, la emoción transmitida en forma poética, es la base de la lírica. Tal es el caso, por ejemplo, de la «Rima» XV de Bécquer.

> Cendal flotante de leve bruma,
> rizada cinta de blanca espuma,
>   rumor sonoro
>   de arpa de oro,
> beso del aura, onda de luz,
>   eso eres tú.   5

Tú, sombra aérea, que cuantas veces
voy a tocarte te desvaneces
como la llama, como el sonido,
como la niebla, como el gemido   10
        del lago azul.

En mar sin playas onda sonante,
en el vacío cometa errante,
        largo lamento
        del ronco viento,   15
ansia perpetua de algo mejor,
        eso soy yo.

    ¡Yo, que a tus ojos en mi agonía
los ojos vuelvo de noche y día;
yo, que incansable corro demente   20
tras una sombra, tras la hija ardiente
        de una visión!
(delR-2, 248-9) (P-2, 379)

Aquí la emoción transmitida es evidente, es de agonía, de
desesperación, de anhelo por algo imposible. Esta emoción es
transmitida en parte de una manera directa; el poeta alude a ella
simplemente: «ansia perpetua», «mi agonía», «incansable . . .
demente».

También este sentimiento viene sugerido y reforzado por las
referencias a las sensaciones físicas. Las sensaciones físicas relacionadas con el objeto del anhelo del poeta sugieren lo intangible; sin
embargo, paradójicamente, son imágenes concretas. Los primeros
dos versos contienen imágenes visuales, todas leves. «Rumor de oro»
es, desde luego, auditoria. «Beso del aura» es táctil. Estas imágenes
concretas, que pertenecen a la realidad exterior, sugieren la irrealidad
del «tú».

Las referencias al «yo» son menos concretas. Hay una referencia
visual, al cometa, y otra auditoria, al lamento del viento. Por la
mayor parte, sin embargo, el poeta alude a imágenes que no perciben
los sentidos («mar *sin* playas», «el vacío») y a los movimientos de
volver y de correr. Se sugiere una sustancia o un ser informe, e
inquieto.

La idea, la intuición intelectual del poema, es de estructura
sencilla. El «tú» se identifica con sustancias etéreas, efímeras;
sugiere quizá un amor o una idea. El «yo» se identifica con el que
persigue, quizá con el amante o con el poeta como poeta. El «yo»

persigue locamente al «tú», inspiración ardiente pero imposible de alcanzar.

Está claro que las tres facetas que acabamos de analizar están estrechamente relacionadas; corresponden a un mismo tema íntimo; están confundidas, apenas separables. La sensación física del «largo lamento» refuerza el sentimiento del «ansia perpetua», y ambas cualidades concuerdan para sugerir la idea del poeta, o del hombre, en búsqueda constante.

Nuestro poema

Los sentimientos en el poema de Machado desempeñan un papel menos obvio que en Bécquer. En la primera estrofa Machado apenas nombra «dolor» y «nostalgia» y sugiere la desolación con «soledad». Abajo señala brevemente el estado «atónito» del niño y la «pena» de su corazón. Y al terminar se califica de «melancólico».

Las alusiones directas a las sensaciones físicas son más obvias. La ausencia de «huella» y de «olfato» señala las capacidades olfatorias del perro. El aire «polvoriento» es una alusión táctil, y las «candelas chispeantes» una alusión visual, las dos propias de una noche de fiesta. Estas alusiones directas son pocas, como hemos dicho, y dependen de la naturaleza de las imágenes por su sentido total. Son claras y concretas, pero, como el olfato de este perro, no se entienden sin ver los valores especiales de todos los elementos del poema. Son dinámicas, entonces; cobran nuevos matices debido a su contexto.

Además de las alusiones directas, hay varias imágenes concretas, perceptibles. El barco, la estrella, el perro, los caminos, el niño, el aire polvoriento, las candelas, todos son elementos concretos de la realidad cotidiana, aunque dentro del poema tengan también otro sentido figurado. La realidad tangible del poema, en resumen, parece ser clara. Machado ha concrecionado bien en sus imágenes los sentimientos algo vagos de la primera estrofa.

La idea, o intuición intelectual del poema no es de estructura tan sencilla como en el caso de Bécquer. Comienza protestando que sí conoce el dolor, que éste equivale a nostalgia especial de «la vida buena». No sabemos qué vida buena: ¿la de la niñez, conocida y ya perdida? ¿una vida anhelada pero no alcanzada? El poeta no precisa. La referencia a la soledad y, sobre todo, al barco plantean la idea de estar sin rumbo en el mundo. Esta idea es apoyada por las imágenes del perro olvidado y del niño perdido, claro está, y está resumida en la última estrofa donde vemos que es el poeta mismo que anda desorientado pero buscando.

Podemos contrastar ligeramente los dos poemas para entenderlos mejor. Los dos tratan el tema de una búsqueda, de un intento por parte del poeta. En la «Rima» de Bécquer la idea es de estructura relativamente sencilla. Va reforzada de emociones fuertes del poeta y de imágenes concretas relacionadas con el «tú». Lo que sobresale es el impacto sentimental sobre el poeta debido a la imposibilidad confesada de su intento. En los versos de Machado la idea es mucho más compleja. Viene reforzada de algunas emociones apenas nombradas, y por una serie de imágenes concretas que parecen claras y sencillas. Merecen análisis más detenido, sin embargo. ¿Por qué perro *olvidado*? El calificativo esperado es «perdido». ¿Cuál es el sentido aquí de barco «sin naufragio»? Dejemos este análisis para otro paso.

Los recursos; la tropología

Este paso supone el estudio no sólo de los tropos formales y más usados que incluimos en nuestra lista, sino también una discusión de todos los recursos poéticos del poema, todo lo que ha hecho el poeta con las palabras, con la estructura y con el sonido. Desde luego, supone también, más que el simple nombrar tropos según nuestra lista u otra, una discusión del efecto de los tropos en el poema y la relación de unos con otros. Anticipa, entonces, algo del paso 9, el dinamismo del poema. En todo caso el nombre técnico del tropo es de menos importancia. Ayuda mucho en la discusión saber distinguir entre hipérbaton e hipérbole, por ejemplo, o entre sinestesia y sinécdoque. Pero es posible estudiar un poema, si uno tiene sensibilidad y experiencia, sin saber la terminología técnica exacta. Los resultados de tal estudio, sin embargo, pueden ser torpes en apariencia y difíciles de comunicar. Así que el estudiante serio intentará por un lado afinar su sensibilidad y aumentar su experiencia, y por otro mejorar sus conocimientos técnicos.

En el estudio de los recursos el estudiante debe señalar primero los tropos o recursos más empleados y los que contribuyen más a la expresión poética. Después puede hacer una lista y comentar todos los recursos. Seguramente en «Llanto por Ignacio Sanchez Mejías» de García Lorca la anáfora es uno de los recursos más importantes y contribuye fuertemente al tono elocuente y dramático del poema. Veamos el manejo de la anáfora en estos versos y después notemos como este mismo recurso da unidad y elocuencia dramática a todo el poema.

> ¡Qué gran torero en la plaza!
> ¡Qué buen serrano en la sierra!
> ¡Qué blando con las espigas!
> ¡Qué duro con las espuelas!
> ¡Qué tierno con el rocío!   5
> ¡Qué deslumbrante en la feria!
> ¡Qué tremendo con las últimas
> banderillas de tiniebla!
>
> . . . .
>
> ¡Oh blanco muro de España!
> ¡Oh negro toro de pena!   10
> ¡Oh sangre dura de Ignacio!
> ¡Oh ruiseñor de sus venas!
> (delR-2, 790)

Nuestro poema

Comentemos brevemente algunos de los tropos más obvios. Apóstrofe: El poeta habla directamente con el dolor. Este recurso, el de dirigirse directamente a otra entidad, se llama a veces «exclamación». Se confunden los dos términos a pesar de una distinción técnica histórica. El apóstrofe aquí sugiere conocimiento íntimo del dolor.

Personificación: El dolor, objeto del apóstrofe, abstracción, se considera en términos personales.

Símil: «*Como* perro olvidado, . . . *como* niño que . . . se pierde, . . . así voy yo . . .» Estos dos símiles recalcan, como hemos visto, la desorientación, la falta de rumbo, del poeta. Los elementos componentes de cada símil, analizados más abajo, precisan su sentido.

Paralelismo: El barco se califica de «sin naufragio y sin estrella». Nótese, sin embargo, que el paralelismo es sólo aparente, o de forma, no de sentido. «Naufragio» y «estrella» no son semejantes en sentido, aunque tampoco son contrarios. El paralelismo formal nos llama la atención, entonces; nos fijamos en los atributos de este barco sugestivo. Está sin estrella. Bien. Le falta guía; no se sabe hacia dónde se dirige. Es el tema de la desorientación otra vez. Pero ¿y el naufragio? El barco sin naufragio es un barco que no ha fracasado, que está todavía a flote, aunque perdido. En el contexto dinámico del poema se sugiere que también el poeta se encuentra en un limbo semejante, buscando sin encontrar nada, pero también sin fracasar.

Otro paralelismo: Dentro del símil del perro olvidado, consta que no tiene «huella ni olfato». Dos negaciones en estructura paralela como complemento de verbo. Parecen subrayar otra vez la desorientación; el perro que carece de olfato no puede seguir la huella de lo que quiere alcanzar. Yerra, pues, por los caminos. Pero la palabra «huella» es ambigua, y esta ambigüedad aumenta la soledad de la primera estrofa. El perro no tiene huella que seguir; por eso yerra. Pero se sugiere también que no *deja* huella; al pasar por alguna parte, no se nota que ha pasado; no hay evidencia de que haya existido nunca. No sólo anda desorientado, sino también inadvertido. No deja huella. De ahí su soledad.

Rima interior: Ya se ha notado la rima asonante regular del poema. Hay también una asonancia especial en tres versos que nos llama la atención. Es asonancia en *i-o* en las palabras indicadas: . . . y yerra/por los *caminos*, sin *camino*, como/el *niño* que en la noche de una fiesta/se pierde entre el *gentío*/. . .» La insistencia en estos sonidos, tres veces en poco más de un verso, no puede menos de impresionarnos. Señala bien el tema del camino y la imagen del niño que se pierde; y todo se resume, después de una como pausa, con la muchedumbre aterradora, con el «gentío» que hace eco una cuarta vez.

Encabalgamiento: Ya hemos notado unos casos de encabalgamiento en el paso tercero. Aquí sólo agregamos que parece haber una serie de encabalgamientos que tiene su culminación en un verso aparentemente torpe. En la segunda y tercera estrofa hay encabalgamiento en cada verso. Este recurso es tan frecuente en la poesía moderna que por lo común no merece mucho comentario. Pero aquí se insiste. Hay encabalgamiento de verbo y complemento («tiene/ huella»), de un complemento de preposición y otro («el gentío/y el

aire≫) y hasta entre sustantivo y adjetivo (≪candelas/chispeantes≫).
Este último nos ha desconcertado algo; hemos vacilado un poco,
para ver luego que no hemos debido hacerlo. Pero hay más. Topamos
con la palabra ≪atónito≫ que no se relaciona con ninguna de las
últimas imágenes sino con el ≪niño≫ de la estrofa anterior. Es mayor
nuestro desconcierto. Pero prosigamos. Leemos ≪y asombra≫.
Durante un instante nos parece que estamos en la estructura
paralela: ≪y el aire . . . y las candelas . . . y asombra≫. Pero no puede
ser. El poeta nos ha asombrado; ha comenzado otra frase aparte para
terminar esta estrofa, el clímax del poema. Notamos, al terminar,
que el verso ≪chispeantes, atónito, y asombra≫ no se lee
fácilmente; hay dos pausas obligadas. Además, hay representados
tres elementos distintos: (1) las candelas chispeantes, (2) el niño
atónito y (3) el corazón que [se] asombra. Es un verso aparentemente
torpe, entonces. Pero nuestro breve análisis ha demostrado que
Machado ha empleado los recursos del encabalgamiento, de la rima
interior, del paralelismo aparente y de la vacilación intencionada,
todo para producir nuestro desconcierto y para así recalcar su tema
de desorientación vital.

Queremos advertir aquí que los tropos de un poema, la métrica y
los otros recursos poéticos, no son simples trucos mecánicos. En
manos de un poeta superior se emplean, se controlan, se manipulan,
siempre al servicio del poema como una totalidad. Es el caso del
poema que vamos analizando.

Los diez aspectos

Los diez aspectos de la creación literaria se aplican principalmente a obras de cierta extensión, a la literatura llamada a veces imitativa: la épica, el drama y la ficción en prosa. No es de esperar que el poeta maneje todos estos aspectos en la creación de una obra lírica. Sin embargo, el poeta como agente libre puede manejar algunos de ellos, según la naturaleza de su obra y sus propias inclinaciones. Comentemos brevemente cada uno de los diez aspectos.

La trama

Los poemas de índole narrativa, como los romances, suelen tener trama importante. El romance viejo «Los infantes de Lara» (B, 78-9) (P-1, 48) es típico. La trama del episodio en cuestión se centra en el encuentro de don Rodrigo y Mudarrillo, el diálogo entre ellos que expone una traición anterior de aquél y su muerte a manos de éste.

El poema de Machado no tiene trama. Sin embargo el poeta nos hace ver o sentir algunos acontecimientos que tal vez ocurrieron en su vida.

Los seres humanos

El personaje central de un poema lírico suele ser el poeta mismo, aunque no presentado en forma completa. Es el poeta en un momento efímero, mientras recuerda una emoción, una sensación o una intuición. En algunos poemas llega a ser el elemento dominante del poema, como en «Canción del pirata» de Espronceda.

> Y del trueno
> Al son violento,
> Y del viento
> Al rebramar,
> Yo me duermo   5
> Sosegado
> Arrullado
> Por el mar.
>
> Que es mi barco mi tesoro,
> Que es mi Dios la libertad,   10
> Mi ley la fuerza y el viento,
> Mi única patria la mar.
> (delR-2, 159) (P-2, 263) (PN-1, 89)

Aquí la exaltación egoísta del poeta romántico llega a su cumbre. Al revelarse a sí mismo, revela su tema íntimo.

En el poema de Machado ya hemos comentado los seres humanos. Son el dolor personificado, el niño que se pierde y el poeta mismo, calificado en la última estrofa.

El tiempo

El tiempo ha sido un tema predilecto de la poesía de todos los tiempos. Uno de los temas más universales es el del *ubi sunt* (¿Dónde están?). Estas palabras en latín se emplean para denominar el tema que pregunta por las bellezas del pasado, a sabiendas de que todo tiene que desaparecer. Es el tema de «Où sont les neiges d'antan», primer verso de «Ballade des dames du temps jadis» de François Villon y de las conocidas coplas de Jorge Manrique cuando pregunta:

¿Qué se hizo el rey don Juan?
Los infantes de Aragón,
    ¿qué se hicieron?
¿Qué fue de tanto galán,
qué de tanta invención   5
    como trajeron?
Las justas y los torneos,
paramentos, bordaduras
    y cimeras,
¿fueron sino devaneos?   10
¿Qué fueron sino verduras
    de las eras?
(B, 91) (delR-1, 132) (P-1, 37)

El tiempo también es un tema constante en Machado. En alguna parte ha dicho que «la poesía es la palabra esencial en el tiempo». La poesía es, entonces, un intento de encarar el tiempo, hasta de detenerlo. Es la palabra esencial (que *no* cambia) en el tiempo (un cambio continuo). En nuestro poema las referencias temporales no son muchas, sin embargo. La palabra «nostalgia» se emplea generalmente como el anhelo por una cosa del pasado, algo perdido con el tiempo. Otra referencia viene al hablar del poeta que «siempre» busca a Dios, ¿que busca algo perdido con el tiempo?

El espacio

Siendo la lírica breve por lo general, no se suele encontrar descripciones extensas de lugar. Sin embargo, son frecuentes las alusiones concretas a ciertos elementos espaciales necesarios al poema. En los romances tradicionales hay a veces referencias a la verde haya, que parece corresponder al *green beech tree* de las baladas inglesas. Bécquer, considerado poeta poco concreto, emplea muchas imágenes concretas de la realidad espacial como «olas gigantes», «playas desiertas», «alto bosque» y «ráfagas de huracán», todas de la «Rima LII».

Olas gigantes que os rompéis bramando
en las playas desiertas y remotas,
envuelto entre la sábana de espumas,
    ¡llevadme con vosotras!

Ráfagas de huracán, que arrebatáis   5
de alto bosque las marchitas hojas,

arrastrando en el cielo torbellino,
¡llevadme con vosotras!
(delR-2, 249) (PN-1, 206)

En el poema de Machado hay también referencias fragmentadas al espacio. La referencia a los caminos es más bien simbólica; por lo poco preciso sugiere el camino que es la vida. Las alusiones a la noche de fiesta son muy concretas, sin embargo, como hemos indicado al hablar de las sensaciones físicas. Desde luego, la «acción» del poema no «tiene lugar» en ninguna parte. (En otros poemas sí; hay un prado, un balcón, una calle, un lugar de gitanos, etc.)

Punto de vista

Parece tonto hablar de punto de vista en una obra no narrativa, hasta antinarrativa. Pero es posible hacer algunos comentarios de provecho. En algunos poemas románticos el yo-poeta suele adoptar otra personalidad. Esta personalidad puede ser una pose, algo bastante artificial. Espronceda es pirata en «Canción del pirata» (delR-2, 158-9) (P-2, 262-3) (PN-1, 88-9), es mendigo en «El mendigo» (PN-1, 90-3) y es poeta y espíritu excepcional decepcionado en «Canto a Teresa». (delR-2, 163-6) (P-2, 264-8) En ciertas poesías muy antiguas como las jarchas mozárabes, el poeta adopta el punto de vista de una muchacha enamorada que canta sus penas.

Señor mío Ibrahim,
   oh nombre dulce,
     vente a mí
     de noche.
Si no — si no quieres — ,   5
     iréme a ti:
     dime en dónde
     encontrarte

       * * *

  ¡Ven, hechicero!
Alba que tiene bello vigor   10
cuando viene pide amor.

       * * *

Si me quieres como bueno,
bésame entonces esta sarta de perlas:
boquita de cerezas.

       * * *

Viene la Pascua, ay, aún   15
    sin él,
lacerando mi corazón
    por él.

      * * *

No quiero, no, amiguito,
    sino el morenito.   20

      * * *

¡Madre qué amigo!
Bajo la guedejuela rubita,
el cuello blanco
y la boquita rojucla.

      * * *

No dormiré yo, madre: 25
Al rayar la mañana,
[creo ver al] hermoso Abu-l-Qasim
con su faz de aurora.

      * * *

Como si [fueses] hijito ajeno,
ya no te duermes más en mi seno.   30

      * * *

¡Merced, amigo mío!
No me dejarás sola,
Hermoso, besa mi boquita;
yo sé que no te irás.
(delR-1, 3)

Una lectura cuidadosa de «La canción del pirata» revela algo interesante e inesperado en cuanto al punto de vista. De hecho hay un cambio de punto de vista en el poema. Esto sí es algo raro en la poesía lírica. En las primeras dos octavillas habla el poeta Espronceda, y muestra su admiración por todo aquello: el bajel, el pirata, el mar, y la luna.

    Con diez cañones por banda,
viento en popa, a toda vela,
no corta el mar, sino vuela
un velero bergantín:

    bajel pirata que llaman,   5
por su bravura, el *Temido*,
en todo mar conocido
del uno al otro confín.

> La luna en el mar riela,
> en la lona gime el viento,   10
> y alza en blando movimiento
> olas de plata y azul;
>
> y ve el capitán pirata,
> cantando alegre en la popa,
> Asia a un lado, al otro, Europa   15
> y allá a su frente, Estambul.
> (PN-1, 88)

En la sextilla que sigue, y en el resto del poema es el pirata mismo, pose romántica, quien habla.

> ≪Navega, velero mío,
>   sin temor,
> que ni enemigo navío,
> ni tormenta, ni bonanza
> tu rumbo a torcer alcanza   5
> ni a sujetar tu valor.
> (PN-1, 88)

En el poema de Machado es el autor mismo quien habla, como poeta, abiertamente.

Proceder estilístico

Sin duda el proceder estilístico es uno de los aspectos más importantes que maneja el poeta. El estudio del proceder estilístico equivale más o menos a nuestro paso 6. Por lo tanto no repetimos este paso aquí.

Lo axiológico

El poeta también puede explotar un sistema de valores para comunicar la intensidad de la emoción que proviene de su tema íntimo. El manejo de lo axiológico se encuentra con frecuencia en los poetas románticos y posrománticos. Notarán en seguida que el sistema de valores del pordiosero en el poema, ≪El mendigo≫, es bien distinto del sistema aceptado por la sociedad en general.

> Vivo ajeno
> de memorias,
> de cuidados

libre estoy;
busquen otros   5
oro y glorias,
yo no pienso
sino en hoy.
Y doquiera
vayan leyes,   1 0
quiten reyes,
reyes den;
yo soy pobre,
y al mendigo,
por el miedo   1 5
del castigo,
todos hacen
siempre bien.

. . . .

Mío es el mundo: como el aire libre,
otros trabajan porque coma yo;
todos se ablandan si doliente pido
una limosna por amor de Dios.
(PN-1, 92-3)

Hay cierta explotación de lo axiológico en nuestro poema ya que
en él Machado maneja el valor del ser humano, el valor intrínseco del
hombre. En vez de engrandecer al hombre, le rebaja y le achica. Para
él el hombre no es más que un pobre ser en sueños sin más valor que
un perro olvidado. Con este proceder axiológico lo que el hombre
pierde en grandeza gana en intensidad humana.

Fin artístico y extra-artístico

El fin artístico de la poesía será siempre lo mismo: comunicar
idea, sensación y sentimiento de una manera única, sintética,
dinámica, y antilógica. Bastantes ejemplos de esto hemos citado ya.

Muchos estudiantes, críticos y hasta poetas modernos piensan que
la poesía ha de ser siempre pura, que no debe comunicar nunca nada
didáctico, un mensaje moral. Nosotros creemos que siempre cabe
esta posibilidad en la poesía. La poesía neoclásica suele ser bastante
didáctica. En muchos casos no es más que eso, una lección moral
artísticamente expresada como se ve en esta fábula de Félix María de
Samaniego:

El Perro y el Cocodrilo

Bebiendo un Perro en el Nilo,
al mismo tiempo corría.
«Bebe quieto», le decía
un taimado Cocodrilo.
Díjole el Perro prudente: 5
   «Dañoso es beber y andar;
   pero ¿es sano el aguardar
   a que me claves el diente? »
¡Oh qué docto Perro viejo!
   Yo venero su sentir   10
   en esto de no seguir
   del enemigo el consejo.
(delR-2, 44)

En otros poetas la lección no es tan obvia y a menudo depende de la
interpretación del lector. ¿No va implícita una crítica de la Guardia
Civil en estos versos de «Romance sonámbulo» de García Lorca?

La noche se puso íntima
como una pequeña plaza.
Guardias civiles borrachos
en la puerta golpeaban.
Verde que te quiero verde.   5
Verde viento. Verdes ramas.
El barco sobre la mar.
Y el caballo en la montaña.
(delR-2, 787)

Será difícil en nuestro poema encontrar un fin extra-artístico.
Sin embargo para los que insistan, siempre se encontrará algo. Se
puede afirmar que el poema nos enseña que la búsqueda de Dios es
algo personal e íntimo del hombre y que no puede efectuarse por las
vías formales de la religión.

Teoría literaria

Los poetas líricos se preocupan más por la teoría de su arte que
los dramaturgos y los prosistas, por lo menos en forma explícita. Las
polémicas y los tratados teóricos sobre la naturaleza de la poesía son
conocidos en todos los tiempos desde la *Poética* de Aristóteles (que
no se limita a la lírica, claro está) hasta los manifiestos más recientes
de los poetas *beat*. También en forma de poesía se habla de poesía;

es quizá uno de los temas más frecuentes en los tiempos modernos. Iriarte produjo toda una colección de *Fábulas literarias* (delR-2, 45) (P-2, 249-50) donde discute la naturaleza de la lírica y de los otros géneros. Más tarde Bécquer dedica gran parte de sus «Rimas», algunos piensan que todas, a la poesía. Una de sus «Rimas» más conocidas es la IV que comienza así:

> No digáis que agotado su tesoro,
>> De asuntos falta, enmudeció la lira.
> Podrá no haber poetas; pero siempre
>> Habrá poesía.
> (delR-2, 248) (P-2, 378)

Sigue elaborando el tema de la poesía siempre existente, superior al hombre, escondida en el misterio y en la belleza. Espera que el poeta, ente especialmente dotado, la sienta y la vierta en forma de palabras. En otra «Rima», la I, habla de la imposibilidad de captar la poesía, dominarla y expresarla en forma adecuada para el hombre, que es inferior. La poesía es «un himno gigante y extraño», pero es vano luchar con él porque el lenguaje humano no es capaz de transcribirlo. Termina suspirando por otra vía de comunicación, aludiendo a una hermosa, diciendo:

> Si, teniendo en mis manos las tuyas,
> pudiera, al oído, contártelo a solas.
> (PN-1, 202)

Machado también ha dedicado versos a sus ideas poéticas, sobre todo en los conocidos versos de su «Retrato». (delR-2, 576-7; PN-2, 170) Aparte, y en forma mucho más extensa, ha expuesto sus ideas poéticas varias veces. Las interesantísimas reflexiones que atribuye a su creación ficticia Juan de Mairena, son típicas de su preocupación seria, pero en forma medio jocosa, por la naturaleza de la poesía.

Así se ve que tanto Bécquer como Machado basaban su creación poética en una idea muy personal de lo que es la poesía, en una teoría poética bien propia. La teoría poética de Machado, la teoría de un poeta que habla solo y espera hablar con Dios algún día, tuvo, sin duda, una relación íntima con la creación de nuestro poema.

Parentesco literario

El parentesco literario de un poema o de la obra de un poeta puede ser sumamente complejo, como sabrá el que ha estudiado un poco la historia literaria o la literatura comparada. Toma muchas formas, según los tiempos, las convenciones, los talentos, etc. En los tiempos antiguos los romances viejos se basaban, según la hipótesis de Menéndez Pidal, en la fragmentación de los cantares de gesta. Y dentro del romancero mismo hay una red complicadísima de ecos, motivos idénticos o semejantes, versiones distintas de un solo romance, etc. Es común también que imágenes sueltas y hasta versos enteros pasen de un romance a otro para aparecer, a veces ligeramente cambiados, en innumerables contextos. Tan es así que algunos motivos e imágenes de los romances de los siglos XV y XVI aparecen en ciertos corridos rústicos del México del siglo XX.

Desde luego hay también parentesco internacional. El Marqués de Santillana, en el siglo XV, escribió sonetos «al itálico modo.» (B, 86) (delR-1, 118) (P-1, 33-4) Un siglo más tarde Garcilaso de la Vega, a instancias de su amigo, Boscán, ensayó con más éxito el estilo italiano, y produjo una colección de sonetos que son modelos de esta forma severamente disciplinada. (B, 147) (delR-1, 266) (P-1, 56)

También el poema de Machado tiene parentesco con otras obras literarias y con corrientes y actitudes filosóficas. El tema del dolor íntimo y constante del poeta como poeta se encuentra también en la poesía de Bécquer y de Rosalía de Castro, a quienes se consideran por su parte precursores de la poesía de nuestro siglo. La angustia del hombre que ha perdido su fe firme e ingenua, de la niñez, se ve también en las *Doloras* ligeramente cínicas de Ramón de Campoamor y en ciertos versos grandilocuentes de Gaspar Núñez de Arce. En estilo, en tono difieren muchísimo del callado y sincero Machado, pero todos participan en la misma desorientación espiritual.

El poeta-hombre como buscador de Dios («siempre buscando a Dios entre la niebla») coloca a Machado en la tradición religiosa de Unamuno, de quien se confesaba admirador y discípulo. El tema principal de gran parte de la obra de Unamuno, verso, ficción, ensayo, es precisamente la búsqueda perpetua de un Dios deseado, sentido, pero no comprobado. Y tal vez no es casualidad que, años más tarde, publica Unamuno una novela que titula *Niebla*.

Síntesis, unicidad, dinamismo y falta de lógica

Hechos los primeros pasos parece que nuestro trabajo de análisis se ha acabado. Sin embargo no es así. El poeta ha dicho mucho más de lo que estos pasos pueden explicar. Algo, entonces, queda por estudiar y analizar. La poesía, creemos tiene unas cualidades especiales que pueden considerarse como tendencias básicas. Son la síntesis, la unicidad, el dinamismo y la falta de lógica. El estudio de estas 4 tendencias nos ha de explicar bastante sobre la comunicación poética realizada en un poema.

La poesía tiende a ser sintética y no analítica. Tiende a unir las cosas en vez de separarlas. Tiende a sintetizar emoción, sensación e idea. Se ve claramente esta tendencia en muchos tropos de la poesía. El símil y la metáfora, por ejemplo, sirven para unir las propiedades de cosas distintas.

Sólo tú me acompañas, sol amigo.
Como un perro de luz lames mi lecho blanco;

y yo pierdo mi mano por tu pelo de oro,
caída de cansancio.
(P-2, 568)

En los dos primeros versos vemos que Juan Ramón Jiménez une el sol con un perro, los dos tienen propiedades en común. Es más, la síntesis queda más completa cuando sabemos que el perro es de luz y que su pelo es de oro (metáforas) y que las acciones del sol, las de lamer, son las de un perro. En los cuatro versos «perro» y «sol» y hasta muchas de sus propiedades quedan perfectamente unidas.

Otro tropo menos común y tal vez más complejo muestra muy bien esta tendencia sintética de la poesía. Es la sinestesia, la mezcla de los cinco sentidos. Lope de Vega, en un soneto al Pastor divino habla de «los dulces silbos».

Pastor, que con tus silbos amorosos
me despertaste del profundo sueño
(B, 263)

Así mezcla el sentido del sabor con el del oído. En tiempos más modernos cuando la sinestesia es más común y más atrevida es fácil encontrar ejemplos. Una de las greguerías de Ramón Gómez de la Serna reza así: «Las flores que no huelen son flores mudas.» (PN-2, 234) Mezcla, claro está, el sentido del olfato con el del oído. Otro ejemplo del mismo tropo se halla en el poema de Juan Ramón Jiménez citado arriba, «Convalecencia».

. . . De pronto, sol, te yergues,
fiel guardián de mi fracaso,
y, en una algarabía ardiente y loca,
ladras a los fantasmas vanos.

Algarabía afecta al oído y *ardiente* al tacto. En el mismo verso une el poeta otro elemento a la síntesis de los dos sentidos, el de la locura.

La poesía tiende a comunicar emociones, sensaciones e ideas concretas y únicas, no abstractas y genéricas. La unicidad de la emoción se ve en casi todas las poesías con un contenido principalmente emotivo. No es la emoción que todos sienten y que está descrita en palabras lógicas sino una emoción muy personal, única. En el soneto «A Cristo crucificado», el poeta anónimo nos hace ver claramente que la emoción que siente él no es la que sienten todos, ni la que enseña la doctrina, sino algo muy suyo.

No me mueve, mi Dios, para quererte,
el cielo que me tienes prometido,
ni me mueve el infierno tan temido
para dejar por eso de ofenderte.

Tú me mueves, Señor; muéveme el verte   5
clavado en esa cruz y escarnecido;
muéveme el ver tu cuerpo tan herido;
muévenme tus afrentas y tu muerte.

Muévesme al tu amor en tal manera
que, aunque no hubiera cielo, yo te amara,   10
y, aunque no hubiera infierno, te temiera.

No me tienes que dar porque te quiera;
que, aunque cuanto espero no esperara,
lo mismo que te quiero te quisiera.
(B, 153) (delR-1, 405-6) (P-1, 60)

Muchas veces el poeta logra la unicidad de la sensación física con
el manejo de los tropos. Así en los versos ya citados de Juan
Ramón Jiménez el calor y la luz del sol producen una sensación
especial, ya que están fundidos con el acto de lamer, y la tradicional
amistad y otras propiedades de un perro fiel.

Las ideas en sí son abstractas y por lo tanto pueden ser la parte
menos poética y menos importante de un poema. Solamente llegan a
tener gran eficacia poética cuando son muy originales o únicas,
cuando son más bien intuiciones y no abstracciones, o cuando
ayudan a comunicar las emociones o las sensaciones de un poema.
Así en el soneto citado la idea de que el poeta no quiere a Jesucristo
por las razones comunes y corrientes sino por una ternura especial
que siente al verle clavado en la cruz, es bastante original y tiene un
papel importante en la comunicación total y sintética del soneto. De
este modo idea, sensación y emoción son inseparables y tienen que
comunicarse sintéticamente en la poesía.

También nos parece fácil ver que la poesía tiene un dinamismo
propio, que las palabras y expresiones dentro de un poema viven,
crecen, y tienen potencia creadora. Estas palabras y expresiones
dentro del poema y dentro de la poesía total aportan una riqueza de
significado y matiz que no suelen tener fuera del poema. En
«Canción de jinete», un bello y bien conocido poema de García
Lorca, se ve esta tendencia dinámica.

Córdoba.
Lejana y sola.

Jaca negra, luna grande,
y aceitunas en mi alforja.
Aunque sepa los caminos   5
yo nunca llegaré a Córdoba.

Por el llano, por el viento,
jaca negra, luna roja.
La muerte me está mirando
desde las torres de Córdoba.   10

¡Ay, qué camino tan largo!
¡Ay, mi jaca valerosa!
¡Ay, que la muerte me espera
antes de llegar a Córdoba!

Córdoba.   15
Lejana y sola.
(delR-2, 786) (P-2, 570)

La primera estrofa tiene bastante valor emotivo, ya que viene enriquecida por una larga tradición poética y cultural alrededor de Córdoba; pero con cada palabra y expresión que sigue va cobrando mayor fuerza. Puede afirmarse que cada palabra que sigue añade algo a la lejanía y soledad de Córdoba; cada palabra hace Córdoba más Córdoba y más lejana y sola. La jaca negra, símbolo tal vez de la suerte adversa, y la luna grande, con su larga tradición poética, dan a Córdoba una cualidad poética, e irreal. La frase «aunque sepa muy bien los caminos» le añade un cariño personal e íntimo; la expresión «nunca llegaré a Córdoba . . .» crea una ciudad irremediablemente lejana y sola. El llano y el viento, la jaca negra otra vez y la luna, ya roja contribuyen bastante a la soledad y a la irrealidad.

Así cada expresión va enriqueciendo el significado emotivo de la última estrofa. La mención de la muerte que le está mirando desde las torres de Córdoba hace aun más irremediables la soledad y la lejanía. La serie de expresiones que comienzan con ayes enriquece bastante y da más profundidad a la lejanía y soledad. Finalmente vemos como la expresión, «Córdoba, lejana y sola», ha crecido, se ha enriquecido y ha cobrado una profundidad emotiva.

Claro está que toda esta riqueza de significado y toda esta profundidad no se crea dentro del poema. El poeta se aprovecha de mucho que queda fuera del poema y hasta fuera de la poesía en general. Solamente la mención de Córdoba aporta toda una constelación de ideas, sensaciones y emociones. Con este nombre el poeta se aprovecha de una tradición poética y cultural sumamente rica. Así la cualidad dinámica de la poesía da al poeta la posibilidad de comunicar muchas ideas, sensaciones y emociones con muy pocas palabras. Cosa que ha hecho Federico García Lorca a las mil maravillas en «Canción de jinete».

Complemento y parte inseparable de este dinamismo son la síntesis y la unicidad que encontramos en este poema. Córdoba en sí es una síntesis de toda la vida buena para el poeta, y es símbolo de la vida misma. La jaca negra y valerosa y la luna grande y roja son sensaciones físicas pero también tienen su valor emotivo. La jaca negra y valerosa puede ser símbolo de la valentía con que el hombre va irremediablemente hacia su muerte sabiendo que nunca llegará a cumplir su destino bello y soñado porque queda lejano y solo. Aquí Córdoba, la ciudad que el poeta conoce íntimamente, y la muerte que le mira, siempre personificada, representan una muerte personal, única para él.

En este poema se ve claramente la cuarta tendencia de la poesía, la tendencia antilógica. Faltan aquí muchos o casi todos los nexos lógicos como faltan en casi toda la poesía de Federico García Lorca. ¿Quién es el jinete? ¿Por qué va a Córdoba? ¿Cómo sabe que no llegará? ¿Viene malherido? No lo sabemos. Son cosas de la lógica y parece que la lógica no facilita sino más bien estorba la comunicación poética.

Nuestro poema

En el paso 5 hemos visto que Machado hace una síntesis de sentimiento y sensación, reforzando los sentimientos de dolor y soledad con imágenes concretas. De hecho la tendencia sintética se ve en muchas facetas del poema. Hay una síntesis temporal ya que el poeta combina su madurez con la niñez del niño. Tal vez la síntesis más importante del poema es la suma de emociones. El dolor, la soledad, la nostalgia, la alegría de la música etc., se combinan para formar una sola emoción.

La unicidad del poema, podemos decir, radica en el conjunto especial de todos los elementos analizados, con todos los recursos, teniendo en cuenta las tradiciones dentro de las cuales trabaja el poeta; este conjunto, esta creación única relaciona el dolor del primer verso con la búsqueda del último mediante la visión intuitiva y la artesanía cuidadosa del poeta. Fija en forma estable la visión momentánea de una relación.

Es evidente que nuestro poeta no vive totalmente en un mundo de la lógica y la razón. Es un borracho melancólico, un guitarrista lunático. Así la expresión de su tema íntimo ni es lógica ni bien ordenada. Notamos la fragmentación de la lógica en el primer verso cuando comienza con la conjunción *y*. Esto supone algo anterior, pero nosotros no sabemos qué pudiera ser.

El estudio del dinamismo de un poema requiere más que nada una lectura cuidadosa y perspicaz. Así si no leemos con mucho cuidado no nos damos cuenta de las posibilidades que tienen determinadas palabras y frases dentro del dinamismo del poema. La frase «perro olvidado» nos brinda un excelente ejemplo de la tendencia dinámica de la poesía y la necesidad de leer siempre el poema con mucha atención. ¿Por qué «olvidado» precisamente? nos hemos preguntado. Se espera una referencia a un perro perdido, o vagabundo, o quizá sin amo. Pero visto con cuidado el calificativo «olvidado», se nos ocurre que el perro tiene que estar olvidado *de alguien*; se supone un amo, en otros tiempos o en otra parte; se implica un contraste entre el estado olvidado y otro estado no olvidado; y se sugiere un recuerdo, por vago que sea, del estado anterior. En el contexto dinámico del poema, se sugiere que el poeta, «siempre buscando a Dios entre la niebla», también busca algo recordado, busca a un Dios que es, que ha sido, o que debe ser su amo. Y quizá a un Dios que lo ha olvidado. ¿No se hace cada vez más exacta la desorientación del poeta, más profunda su soledad, a medida que vamos viendo todos los elementos del poema?

De hecho el estudiante podría hacer toda una lista de expresiones y recursos técnicos que contribuyen a esta desorientación única del poeta. Son todos, como diría Carlos Bousoño, signos de sugestión de la confusión y desorientación. Esta lista incluiría, entre otras expresiones, nostalgia de la vida buena, soledad de corazón sombrío, barco sin naufragio y sin estrella, perro olvidado, yerra por los caminos, el niño que se pierde y asombra, borracho melancólico, guitarrista lunático, pobre hombre en sueños, buscando a Dios entre la niebla. A esta lista de expresiones tendría que agregar algunos recursos como el comenzar el poema con la conjunción *y*, la falta de título (ya que el título siempre da alguna orientación al poema y al lector) el verso aparentemente torpe, etc. Todas estas expresiones y estos recursos tendrían un valor emotivo, vamos a suponer, de 1. Esto es fuera del poema. Pero dentro del poema son dinámicos y su capacidad de evocar la emoción de la desorientación tiene una progresión geométrica. El primer signo vale 1, el segundo 2, el tercero 4, el cuarto 8, el quinto 16. Tanta es la fuerza de todos estos signos que casi todas si no todas las palabras del poema cobran cierto valor emotivo capaz de evocar el sentimiento de la desorientación.

El lector es también un factor en lo dinámico. Tiene ya su pecho cargado, electrificada su sensibilidad con la lectura de otros poemas, con otras bellas sensaciones y emociones. Al leer el poema siempre habrá, o siempre debe haber, una reacción que podríamos llamar química entre lo que el lector ya lleva dentro y las palabras del poeta. Vamos a suponer que el estudiante ha estado en Córdoba unos meses antes de leer el poema de García Lorca. Allí ve una morena, sumamente guapa y graciosa. Queda enamorado de ella, de lejos, porque nunca tiene la oportunidad de conocerla. La relación se queda en unas miradas intensas y ardientes trocadas entre los dos. Ahora bien, cuando este estudiante lee el poema es bien capaz de sentir allí la presencia de una mujer, o de dar a la ciudad de Córdoba cualidades de mujer. «Córdoba, morena, graciosa; Córdoba, casta y recóndita, lejana y sola; Córdoba, imposible.»

El título

Dada la tendencia dinámica de la poesía el título puede contribuir bastante al afecto total del poema, como en el caso de «La novia» de Rafael Alberti. (delR-2, 814)

Una muchacha va a casarse en la catedral. La novia oye tocar las campanas y pregunta por varias cosas relacionadas con la boda tradicional: su velo, su vestido blanco, su flor de azahar. Toda la constelación de imágenes se forma en torno a la novia y a la idea de la boda. Luego pregunta la novia por su amante; pero éste no existe.

El título nos ha preparado para una boda tradicional. Pero al final vemos que la novia, preguntando por las cosas de la boda, señala precisamente su falta. Así señala la falta de marido también. Seguramente, esta «novia» es excepcional; se convierte, no en esposa de hombre sino, se sugiere, en esposa de Jesucristo, entrando en un convento. El título nos ha preparado, entonces, para una sorpresa. También nos ha hecho sentir el contraste violento entre esta boda y la boda tradicional.

En otro poema, el «Romance sonámbulo» de García Lorca, el título justifica la falta de nexos lógicos, el ambiente de irrealidad que es característico del poema.

Verde que te quiero verde.
Grandes estrellas de escarcha
vienen con el pez de sombra
que abre el camino del alba.
La higuera frota su viento   5
con la lija de sus ramas,
y el monte, gato garduño,
eriza sus pitas agrias.
Pero ¿quién vendrá? ¿Y por dónde. . . ?
Ella sigue en su baranda,   10
verde carne, pelo verde,
soñando en la mar amarga.
(delR-2, 786)

Nuestro poema

Este poema de Machado no tiene título. Notamos aquí simplemente que viene del libro *Soledades, galerías y otros poemas*, de la sección «Galerías». El tema de la soledad ya se ha comentado. Las «galerías», en otro poema suyo, son «galerías del alma».

Tema íntimo

En el curso de un análisis poético es imposible no aludir varias veces al tema íntimo del poema y hasta de formularlo tentativamente. Ya en el paso cuarto el estudiante trata de expresar sin análisis lo que ha captado del poema. El análisis puede cambiar o aumentar su conocimiento y aprecio del poema.

Para formular el tema íntimo suponemos que hay detrás de todo poema una idea, una sensación o una emoción única, del poeta y sólo del poeta. Pero este origen único se encuentra transformado en expresión poética, la cual es recibida por el lector-estudiante. Él, por su parte, recibe la expresión única, pero la relaciona con otras expresiones del mismo poeta o de otros. Puede abstraer algo del poema; puede tener en cuenta su unicidad, aludiendo a ella en términos genéricos. Es lo que hacemos al decir, por ejemplo, que el poema de Villon tiene por tema el *ubi sunt*.

En el poema de Machado una manera de formular el tema íntimo sería así; El hombre se encuentra angustiado por sentirse solo en un mundo sin sentido; pero también se siente con ganas de orientarse, apoyándose en algo como un recuerdo de otro tiempo o de otros tiempos. Otra formulación del tema íntimo: la angustia existencial del hombre de nuestros tiempos.

Claro, el tema íntimo no *es* el poema; sólo el poema es el poema. Es único y total. Resulta de una experiencia única del poeta; tiene expresión única en la obra de arte; y en el mejor de los casos, se convierte en experiencia única, y valiosa, del lector. El lector que ha leído atentamente el poema de Machado puede no sentirse afectado por él; puede rechazarlo por razones de gusto o de credo. Pero el lector que responde positivamente al poema, si su condición de ser humano se asemeja a la del poeta, ya tiene nuevos modos de observar y de soportar esta condición. El lector puede reconocer cierta comunidad de experiencia con el poeta a pesar de su soledad, aquí paradójica. Y si el lector ha sido hondamente afectado por el poema, verá con otros ojos a los niños que se pierden, a los perros olvidados, y a los guitarristas lunáticos.

El análisis de un poema no puede ser nunca completo. Siempre queda algo que intuimos pero que no podemos analizar y expresar con palabras analíticas. Es lo inefable; es lo que distingue a la poesía de otras formas literarias. No por eso deja de ser el análisis útil e interesante. Para nosotros la poesía no es sagrada, todo lo contrario, es algo muy humano, algo hecho por un pobre hombre. Es tal vez la más humana de todas las formas artísticas. El estudiante que llegue a gozarla y analizarla con método ya habrá afinado un tanto su sensibilidad humana, y su comprensión de este pobre hombre en sueños que busca a Dios entre la niebla.

Apéndices

El verso español

Rima

La poesía española en verso goza de dos clases principales de rima: consonancia y asonancia. (Por lo general, como es sabido, la rima poética trata de la coincidencia, o de la semejanza, de los sonidos finales de verso o renglón poético.)

La consonancia, o rima perfecta, como puede llamarse, es la coincidencia de todos los sonidos finales desde la última vocal acentuada. Ejemplos son los siguientes pares de palabras que riman en consonancia: *hermOSO, espaciOSO; reunIDOS, sentIDOS; des-dÉN, biEN*.

La asonancia, o rima imperfecta, es la coincidencia, o la semejanza, no de todos los sonidos finales de verso, sino de sólo las vocales finales de verso, desde la última vocal acentuada. Ejemplos de asonancia doble son las siguientes series de tres palabras cada una:

hablAbA, acompAñA, hAllAn; comIdA, vIstA, decÍA; ejemplos de asonancia sencilla: *señOr, razÓn, saliÓ; vivIr, aquÍ, afÍn.*

Al estudiar la rima de cualquier poema se espera encontrar una regularidad, un arreglo sistemático, de palabras rimantes. Así por ejemplo, en este soneto de Garcilaso de la Vega, salta a la vista que la rima, en consonancia, se arregla según la estructura estrófica. En las primeras dos estrofas riman el primer verso y el cuarto, y también los dos interiores. Designando cada nueva rima arbitrariamente con una letra (o un número), decimos que la rima es *abba abba cde cde.*

Señora mía, si de vos yo ausente	a 1	
en esta vida turo y no me muero,	b 2	
paréceme que ofendo a lo que os quiero,	b 2	
y al bien de que gozaba en ser presente.	a 1	
Tras este, luego siento otro accidente,	a 1	5
que es ver que, si de vida desespero,	b 2	
yo pierdo cuanto bien de vos espero,	b 2	
y así ando en lo que siento diferente.	a 1	
En esta diferencia mis sentidos	c 3	
están en vuestra ausencia y en porfía;	d 4	10
no sé ya qué hacerme en mal tamaño.	e 5	
Nunca entre sí los veo sino reñidos;	c 3	
de tal arte pelean noche y día,	d 4	
que sólo se conciertan en mi daño.	e 5	
(B, 147)		

La rima consonante suele arreglarse y designarse según el sistema explicado arriba. La rima asonante, en cambio, se designa de otra manera. Primero se nombra el tipo de asonancia, señalando las vocales en cuestión. (Así, *dormidos* y *castillo*, por ejemplo, son asonantes en *i-o.*) Luego se resume el arreglo de las palabras rimantes. El siguiente trozo del «Romance de la venganza de Mudarra» tiene rima en asonancia doble en *a-a* en todos los versos.

A caza va don Rodrigo,	ese que dicen de Lara:	
perdido había el azor,	no hallaba ninguna caza;	
con la gran siesta que hace	arrimado se ha a una haya,	
maldiciendo a Mudarrillo,	hijo de la renegada,	
que si a las manos le hubiese	que le sacaría el alma.	5
(B, 78-9) (P- 1, 48)		

El «Romance de conde Arnaldos», por su parte, tiene rima asonante sencilla en *a.*

¡Quién hubiese tal ventura   sobre las aguas de mar,
como hubo el conde Arnaldos   la mañana de San Juan!
Con un falcón en la mano   la caza iba a cazar,
vio venir una galera   que a tierra quiere llegar.
(B, 81-2) (delR-1, 188) (P-1, 50)

La asonancia sencilla puede designarse *a-e* en vez de *a, o-e* en vez de *o*, etc. Según este modo convencional de entender la asonancia, las siguientes palabras tienen rima asonante en *a-e*: *mar, Juan, cazar, cantares, hacen.*

En muchas colecciones los romances están impresos, no con versos largos con cesura o pausa en medio, sino con versos cortos, así:

¡Quién hubiese tal ventura
sobre las aguas de mar,
como hubo el conde Arnaldos
la mañana de San Juan!
(delR-1, 188)

En tales casos, desde luego, decimos que la rima es asonante en *a* en los versos pares.

La asonancia es más amplia que la consonancia; admite cierta variedad dentro de sus límites. Como queda señalado arriba, la asonancia puede ser la semejanza de las vocales finales de verso. Así, las palabras siguientes tienen rima asonante en *e-o*: *hEnO, sEriO, rEinO, buEnO.* Podemos decir, entonces, que las semivocales y semiconsonantes (*i|o|u* en diptongo) no entran en la asonancia. De manera semejante, en las palabras esdrújulas, sólo se tienen en cuenta la vocal acentuada y la última. Estas tres palabras, pues, tienen asonancia en *u-a*: *UnA, ÚltimA, esdrUjulA.*

Con poca frecuencia se emplea un arreglo de rima consonante algo especial. La palabra final de un verso no rima con la palabra final de otro verso, sino con una palabra interior. Este fenómeno, llamado rima interna, se ve en este trozo de un poema de Rafael Alberti. La rima interna se combina con la rima al final del verso.

Si Garcilaso volvi*era*,
yo se*ría* su escud*ero*;
que buen caball*ero era*.

Mi traje de mari*nero*
se troc*aría* en guerr*era*
ante el brillar de su ac*ero*;
que buen caball*ero era*. (delR-2, 812-3)

5

Métrica

Como es sabido, la métrica de la poesía en inglés se caracteriza por el pie, conjunto de dos o tres sílabas que se consideran una unidad. Cada verso poético suele contener un determinado número de pies. Por ejemplo, véanse los siguientes dos versos conocidísimos.

I thínk that Í shall né-ver sée
A pó-em lóve-ly ás a trée.
(Joyce Kilmer, «Trees»)

Aquí cada pie poético contiene dos sílabas, la segunda de ellas acentuada. Este pie se denomina yambo, y cada verso del poema citado contiene cuatro pies yámbicos.

La poesía en español, al contrario, suele caracterizarse por el número de sílabas en cada verso. Como la inmensa mayoría de las palabras castellanas terminan en sílaba no acentuada (son palabras llanas), las palabras que terminan en sílaba acentuada, (palabras agudas) si vienen al final del verso, se cuentan como si tuvieran una sílaba más. Así, los siguientes versos del romance «Muerte de Antoñito el Camborio» de Federico García Lorca tienen ocho sílabas cada uno.

    Vo-ces de muer-te so-na-ron
    cer-ca del Gua-dal-qui-vir.
    Vo-ces an-ti-guas que cer-can
    voz de cla-vel va-ro-nil.
    (delR-2, 787)

De manera semejante, las pocas palabras esdrújulas que existen en castellano se cuentan, si vienen al final de verso, como si tuvieran una sílaba menos.

Otra convención de la métrica es la *sinalefa*: dos vocales contiguas, una al final de una palabra, la otra al comienzo de la palabra siguiente, se consideran una sola sílaba. (La sinalefa es un fenómeno natural del castellano hablado, y no simplemente una arbitrariedad de los poetas.) En el ejemplo siguiente, los tres primeros versos tienen 7 sílabas y el último tiene 11.

    Tú, que ganast*e o*brando
    un nombr*e e*n tod*o e*l mundo
    *y u*n grado sin segundo,
    agor*a e*stés atento sól*o y* dado ...
    (Garcilaso de la Vega; delR-1, 259)

Las convenciones métricas no son arbitrarias. Obedecen a los principios fonéticos del idioma estudiados científicamente. Tampoco son reglas inflexibles e inapelables. A menudo se aparta un poeta de las normas por razones de gusto o de intuición estética. El buen poeta y el lector sensible suelen preferir que el poema suene bien, que se lea con agrado a pesar de leyes aparentemente matemáticas. Así, el verso de romance de Gustavo Adolfo Bécquer,

gigante ola que el viento

parece tener sólo siete versos (gigant*e o*la qu*e e*l viento). Pero el lector, al no observar la sinalefa entre «gigante» y «ola», logra un verso de ocho sílabas, normal en un romance (gigante / ola que el viento). Además, resulta que el verso suena mejor. Quedan satisfechos tanto la matemática como el oído.

Otra flexibilidad menos común que el poeta español se permite ante las normas es la de separar, dentro de una sola palabra, un diptongo en dos sílabas, logrando así una sílaba más. Este fenómeno, llamado *hiato* se ejemplifica en las siguientes transformaciones: *sua-ve* se pronuncia *su-a-ve, viu-da* se pronuncia *vi-u-da*, etc. El hiato es poco común en el castellano hablado. Va contra las tendencias naturales observadas desde los tiempos más antiguos.

Rima y métrica reunidas

Los versos poéticos suelen agruparse en conjuntos regulares, llamados *estrofas*. Naturalmente, hay una gran variedad de estrofas posibles, según el número de sílabas por verso, el número de versos por estrofa, y el sistema de rima de la estrofa. A continuación damos ejemplos de varias estrofas de las más empleadas, con su nombre y su descripción técnica en cada caso. (La rima es consonante si no se advierte lo contrario; el sistema de rima indicado es el más frecuente.)

Pareado: 2 versos de cualquier número de sílabas; *aa, bb*, etc.

Por obras y costumbres podrás conocer
    cuál de los mozos mejor ha de ser.
(Juan Manuel; B, 54)

Estribillo: estrofa de 2 o 3 versos que se repite varias veces o que, en ciertos poemas, varía ligeramente según el sentido de la estrofa anterior.

El río Guadalquivir
va entre naranjos y olivos.
Los dos ríos de Granada
bajan de la nieve al trigo.

¡Ay, amor   5
que se fue y no vino!

El río Guadalquivir
tiene las barbas granates.
Los dos ríos de Granada,
uno llanto y otro sangre.   1 0

¡Ay, amor
que se fue por el aire!

Para los barcos de vela
Sevilla tiene un camino;
por el agua de Granada
sólo reman los suspiros.   1 5
¡Ay, amor
que se fue y no vino!

.   .   .   .

Lleva azahar, lleva olivas,
Andalucía, a tus mares.

¡Ay, amor   2 0
que se fue por el aire!
(Federico García Lorca; delR-2, 788-9)

Terceto: 3 versos de 11 sílabas; *aba, bcb*, etc. Noten que el segundo
verso de la primera estrofa *corre* se liga con el primer verso *torre* de
la segunda estrofa.

ESTEBAN.   ¿No han venido a la junta?
BARRILDO.   No han venido.   a
ESTEBAN.   Pues más apriesa nuestro daño corre.   b
BARRILDO.   Ya está lo más del pueblo prevenido.   a
ESTEBAN.   Frondoso con prisiones en la torre,   b   5
            y mi hija Laurencia en tanto aprieto,   c
            si la piedad de Dios no nos socorre . . .   b
(Lope de Vega; B, 310)

Redondilla: 4 versos de 8 sílabas; *abba, cddc*, etc. Noten que la
forma aquí es redonda ya que los versos exteriores cierran el círculo.

REBOLLEDO.   ¿A qué entrada, si voy muerto?   a
            Y aunque llegue vivo allá   b
            sabe mi Dios si será   b
            para alojar; pues es cierto   a

llegar luego al comisario	c	5
los alcaldes a decir	d	
que si es que se pueden ir,	d	
que darán lo necesario.	c etc.	

(Pedro Calderón de la Barca; P-1, 142)

Cuarteto: 4 versos de 11 sílabas; *abba*, o *abab*. (Se emplean en los sonetos, véase cualquier soneto.)
Cuarteta: 4 versos de cualquier número de sílabas; *abab*.

Mi infancia son recuerdos de un patio de Sevilla,	a
y un huerto claro donde madura el limonero;	b
mi juventud, veinte años en tierra de Castilla;	a
mi historia, algunos casos que recordar no quiero.	b

(Antonio Machado; PN-2, 170)

Cuaderna vía: estrofas de cuatro alejandrinos de rima *aaaa, bbbb*, etc. El arte de escribir o recitar versos en cuaderna vía se llama mester de clerecía.

Dícenos Salomón, y dice la verdad,	a	
que las cosas del mundo todas son vanidad,	a	
todas perecederas que se van con la edad;	a	
salvo el amor de Dios, todas son liviandad.	a	
Cuando vi que la dama estaba tan cambiada,	b	5
— Querer si no me quieren — dije — es buena bobada,	b	
contestar si no llaman es simpleza probada;	b	
apártome también, si ella está retirada.	b	

(Juan Ruiz, B, 62)

Quintilla: 5 versos de 8 sílabas; *ababa, abaab*, etc.

PERIBAÑEZ. Hízose la procesión	a	
con aquella majestad	b	
que suelen, y que es razón	a	
añadiendo autoridad	b	
el Rey en esta ocasión.	a	5

(Lope de Vega; delR-1, 484)

Lira: 5 versos de 7 y de 11 sílabas; *aBabB*.

¿Y dejas, Pastor santo,	a	
tu grey en este valle hondo, oscuro,	B	
con soledad y llanto;	a	
y tú, rompiendo el puro	b	
aire, te vas al inmortal seguro?	B	5

(Fray Luis de León; B, 151)

Pie quebrado: 6 versos de 8 y 4 sílabas; *ABc, ABc*. Primero hay dos versos de 8 sílabas y un pie quebrado de 4 sílabas, luego 2 más de 8 y otro pie quebrado de 4 sílabas.

Pues si vemos lo presente	A	
cómo en un punto se es ido	B	
y acabado,	c	
si juzgamos sabiamente,	A	
daremos lo no venido	B	5
por pasado . . .	c	

(Jorge Manrique; B, 90; delR-1, 131; P-1, 35)

Sextilla: 6 versos de arte menor. Por lo general rima en consonancia.

El palacio, la cabaña	a	
son mi asilo,	b	
si del ábrego el furor	c	
troncha el roble en la montaña,	a	
o que inunda la campaña	b	5
el torrente asolador.	c	

(José de Espronceda: PN-1, 90)

Octavilla: 8 versos de 8 sílabas; *abbcaeec*, etc.

Con diez cañones por banda,	a	
viento en popa, a toda vela,	b	
no corta el mar, sino vuela	b	
un velero bergantín:	c	
bajel pirata que llaman,	d	5
por su bravura, el *Temido*	e	
en todo mar conocido	e	
del uno al otro confín.	c	

(José de Espronceda; PN-1, 88)

Octava: (de arte mayor) 8 versos de 12 sílabas; *ababacca* o *abbaacca*.

Tus casos falaces, Fortuna, cantamos,	a	
estados de gentes que giras e trocas,	b	
tus grandes discordias, tus firmezas pocas,	b	
e lo que en tu rueda quejosos fallamos,	a	
fasta que al tiempo de agora vengamos:	a	5
de fechos pasados codicia mi pluma,	c	
e de los presentes facer breve suma;	c	
dé fin Apolo, pues nos comenzamos.	a	

(Juan de Mena; delR-1, 122)

Décima: 10 versos de 8 sílabas; *ababacddcd, abbabcdccd*, etc.

Aquí la envidia y mentira	a
me tuvieron encerrado.	b
Dichoso el humilde estado	b
del sabio que se retira	a
de aqueste mundo malvado,	b 5
y con pobre mesa y casa	c
en el campo deleitoso,	d
con sólo Dios se compasa,	c
y a solas su vida pasa,	c
ni envidiado ni envidioso.	d 1 0

(Fray Luis de León; delR-1, 391)

Soneto: 14 versos de 11 sílabas, dos cuartetos y dos tercetos.

Un soneto me manda hacer Violante,	a
que en mi vida me he visto en tal aprieto;	b
catorce versos dicen que es soneto,	b
burla burlando van los tres delante.	a
Yo pensé que no hallara consonante,	a 5
y estoy a la mitad de otro cuarteto;	b
mas si me veo en el primer terceto,	b
no hay cosa en los cuartetos que me espante.	a
Por el primer terceto voy entrando,	c
y aun parece que entré con pie derecho,	d 1 0
pues fin con este verso le voy dando.	c
Ya estoy en el segundo, y aun sospecho	d
que estoy los trece versos acabando:	c
contad si son catorce, y está hecho.	d

(Lope de Vega; B, 262)

Versos sin regularidad estrófica

Silva: Una serie de versos, algunos de 7, algunos de 11 sílabas, de rima flexible.

¡Oh bienaventurado	a
albergue a cualquier hora,	b
templo de Pales, alquería de Flora!	B
No moderno artificio	c
borró designios, bosquejó modelos,	D 5
al cóncavo ajustando de los cielos	D
el sublime edificio;	c
retamas sobre robre	e
tu fábrica son pobre,	e
do guarda, en vez de acero,	f 1 0

la inocencia al cabrero	f
más que el silbo al ganado.	a
¡Oh bienaventurado	a
albergue a cualquier hora!	b etc.

(Luis de Góngora; delR-1, 625-6)

Romance: Una serie de versos de 8 sílabas; rima asonante en los versos pares.

La luna vino a la fragua
con su polisón de nardos.
El niño la mira, mira.
El niño la está mirando.
En el aire conmovido   5
mueve la luna sus brazos
y enseña, lúbrica y pura,
sus senos de duro estaño. etc.
(Federico García Lorca; P-2, 570)

Verso alejandrino: verso de 14 sílabas, con cesura.

La princesa está triste . . . , ¿qué tendrá la princesa?
Los suspiros se escapan de su boca de fresa,
que ha perdido la risa, que ha perdido el color.
La princesa está pálida en su silla de oro,
está mudo el teclado de su clave sonoro;   5
y en un vaso olvidada se desmaya una flor.
(Rubén Darío; P-2, 565)

Cantar de gesta: Poema épico, dividido en estrofas de un número variable de versos, todos rimando en asonancia; los versos tienen un número variable de sílabas y tienen cesura. El *Cantar de Mío Cid* es el único ejemplo de gesta en castellano que conocemos en forma auténtica y extensa. El arte de recitar cantares de gesta se llama mester de juglaría.

El Campeador	se dirigió a su casa,	*a-a*
mas al llegar a la puerta	hallóla bien cerrada:	*a-a*
por miedo al rey Alfonso	así lo concertaran,	*a-a*
que si no la quebrantase	no se la abrirían	
	por nada. *a-a* 5	

(B, 16; delR-1, 5)

Verso blanco o suelto: versos de un número exacto de sílabas sin rima. Este ejemplo es de un poema titulado «Más allá» de Jorge Guillén.

El alma vuelve al cuerpo,
Se dirige a los ojos
Y choca.   − ¡Luz!   Me invade
Todo mi ser.   ¡Asombros!
Intacto aún, enorme,   5
Rodea el tiempo . . . Ruidos
Irrumpen.   ¡Cómo saltan
Sobre los amarillos . . .
(delR-2, 801)

Verso libre: versos sin regularidad de sílabas, de estrofa, ni de rima.
Este ejemplo es de «Unidad en ella» de Vicente Aleixandre.

Cuerpo feliz que fluye entre mis manos,
rostro amado donde contemplo el mundo,
donde graciosos pájaros se copian fugitivos,
volando a la región donde nada se olvida.

Tu forma externa, diamante o rubí duro,   5
brillo de un sol que entre mis manos deslumbra,
cráter que me convoca con su música íntima,
con esa indescifrable llamada de tus dientes.

Muero porque me arrojo, porque quiero morir,
porque quiero vivir en el fuego, porque este aire   10
                                        [de fuera
no es mío, sino el caliente aliento
que si me acerco quema y dora mis labios desde
                                        [un fondo.
(delR-2, 810-811)

Tropos o figuras empleados con cierta frecuencia

Los tropos son de dos clases fundamentales: (1) los que dependen del sentido o de los sentidos de las palabras en cuestión y (2) los que dependen de la forma o del arreglo de las palabras. En nuestra lista distinguimos explícitamente con la letra *s* para los que dependen del sentido y la letra *f* para los que dependen de la forma. Cuando dependen de los dos usamos dos letras. Damos en cada caso el nombre técnico del tropo en castellano, su equivalente en inglés, una definición adecuada y un ejemplo, de nuestros textos, a ser posible.
Aliteración *f* Alliteration: Repetición de un mismo sonido, o un conjunto de sonidos, dentro de una frase o un verso.

Lo mismo que te quiero te quisiera .
(«Soneto: A Cristo crucificado»; B, 153; delR-1, 405;
P-1, 60)
Y déjame muriendo
un no sé qué que quedan balbuciendo.
(San Juan de la Cruz; delR-1, 401; P-1, 123)

Alusión *s* Allusion: Se alude explícitamente a hechos históricos o literarios que el lector debe conocer.

> Pues aquel gran Condestable,
> maestre que conocimos
>   tan privado,
> no cumple que de él se hable,
> sino sólo que lo vimos   5
>   degollado.
> (Jorge Manrique; B, 92; delR-1, 133; P-1, 38)

El Condestable, don Álvaro de Luna, fue favorito del rey Juan II (1406-54). Quizá más poderoso que el rey, luchó por la supremacía del monarca frente a los nobles. Fue abandonado por el monarca en 1453 y ejecutado.

Anáfora *f* Anaphora: Se repite una palabra o un conjunto de palabras al principio de cada oración, cláusula, verso, etc.

> Mientras las ondas de la luz al beso
>   palpiten encendidas;
> mientras el sol las desgarradas nubes
>   de fuego y oro vista;
> mientras el aire . . .   5
> (Gustavo Adolfo Bécquer; delR-2, 248; P-2, 378)

Antítesis *f-s* Antithesis: Se expresan ideas contrarias en frases semejantes.

>   Vestíos y salid apriesa,
> que el General os aguarda;
> yo os hago a vos mucha sobra
> y vos a él mucha falta.
> (Luis de Góngora; B, 252; delR-1, 618)

Antonomasia *s* Antonomasia: Llamar un ser o una cosa por una de sus cualidades, por un epíteto o por un nombre propio. Semejante a la metonimia y al sinécdoque.

Aparte *s* Aside: Técnica antigua y poco sofisticada usada en el teatro para comunicar ciertas ideas al auditorio que los otros actores no deben saber.

Apóstrofe *s* Apostrophe: El que habla corta el discurso para dirigirse a otro. Puede, como en el caso citado, dirigirse incluso a una abstracción. Don Álvaro acaba de hablar al Padre Guardián cuando dice « ¡Infierno, abre tu boca y trágame! ¡ ¡ ¡Húndase el cielo, perezca la raza humana, exterminio, destrucción! ! ! » (Duque de Rivas; delR-2, 142; P-2, 360)

Anticlímax *f* Anticlimax: Se arreglan las ideas en orden, pero en escala descendente. La intención es, por lo común, irónica o cómica. Estas dos greguerías de Ramón Gómez de la Serna son pequeños ejemplos.

> El Coliseo en ruinas es como una taza rota del desayuno
> de los siglos. (PN-2, 234)

> El arco iris es la cinta que se pone la Naturaleza después
> de haberse lavado la cabeza. (PN-2, 234)

Asíndeton *f* Asyndeton: Se suprimen las conjunciones, sobre todo la ≪y≫. El asíndeton es más frecuente en la subordinación y en la coordinación, pero también se da en la enumeración.

> Un no rompido sueño,
> un día puro, alegre, libre quiero.
> (Fray Luis de León; delR-1, 387; P-1, 58)

Clímax *f* Climax: Se arreglan las ideas en orden, en escala ascendente.

> De lo poco de vida que me resta
> Diera con gusto los mejores años,
>   Por saber lo que a otros
>   De mí has hablado.

> Y esta vida mortal . . . y de la eterna   5
> Lo que me toque, si me toca algo,
>   Por saber lo que a solas
>   De mí has pensado.
> (Gustavo Adolfo Bécquer; P-2, 380)

Concatenación *f* Concatenation: Se encadenan las palabras, tomando la última o las últimas del miembro anterior para comenzar el que sigue.

> Las adargas avisaron
> a las mudas atalayas,
> las atalayas los fuegos,
> los fuegos a las campanas.
> (Luis de Góngora; B, 252; delR-1, 618)

Concepto *s* Conceit (sometimes Quibble): Comparación ingeniosa, inaudita, de dos ideas. Puede ser comparación explícita como en estos versos del soneto de Quevedo a una nariz:

Era un reloj de sol mal encarado,
érase una alquitara pensativa,
érase un elefante boca arriba, . . .
(B, 257) (delR-1, 652)

También puede ser una comparación implícita debida a un juego de palabras o a palabras de sentido ambiguo como en esta estrofa de la letrilla de Quevedo, «Don Dinero»:

Son sus padres *principales,*
y es de nobles descendiente,
porque en las *venas* de Oriente
todas las sangres son *reales*;
y pues es quien hace iguales   5
al rico y al pordiosero,
    poderoso caballero
    es don Dinero.
(B, 258) (delR-1, 653)

Las tres palabras en negritas tienen dos sentidos distintos, uno relacionado a la categoría social de un aristócrata, otro relacionado al dinero. *Principales*: (1) de la clase alta, de la aristocracia; (2) cantidad de dinero que se invierte en una empresa. *Venas*: (1) las venas del cuerpo llevan la sangre; metafóricamente se habla de sangre noble; (2) las venas de una mina tienen oro. *Reales*: (1) aristocrático, del rey; (2) una moneda de oro; (3) de existencia real o verdadera.
Despropósito *s* Malapropism: Palabra empleada equivocadamente o de manera no propia. Suele llevar intención cómica. El origen del término, *malapropism*, se debe a los despropósitos que dice Mrs. Malaprop en *The Rivals* de Richard B. Sheridan. Galdós caracteriza a Torquemada en *Torquemada en la cruz* haciéndole hablar con despropósito cuando se despide. Dice la señorita Cruz, «Allí tiene usted su casa. Vivimos los tres solos: mi hermana y yo, y nuestro hermano Rafael, que está ciego.» Responde Torquemada, «Por muchos años . . .» (PN-1, 273) En otro contexto su respuesta hubiera sido una simple fórmula de cortesía, pero aquí es un despropósito porque parece desear la ceguera ininterrumpida de Rafael.
Desplazamiento calificativo *s* Misplaced adjective (no se emplea el término en inglés): Es el hecho de trasladar un adjetivo de un sustantivo, donde lógicamente pertenece, a otro sustantivo. También el poeta puede aplicar al todo un adjetivo perteneciente a una parte. Carlos Bousoño, el creador de éste y otros términos modernos, cita

un verso de Juan Ramón Jimenez en que habla de «barrios desiertos, entornados y eróticos.» El calificativo perteneciente a la parte es aplicado al todo. Lógicamente es la puerta de estos barrios que se queda entornada, o medio abierta, para lucir los encantos eróticos de las mujeres de la vida. Nosotros confesamos que este término moderno y útil, tiene cierta relación con algunos más tradicionales. El término más cercano es la sinestesia, pero este proceder se limita a los cinco sentidos. También tiene aspectos afines con el sinécdoque – nombramiento de una parte por el todo; metonimia – el empleo de una cosa asociada con el objeto por el objeto mismo; y antonomasia, – un tipo de metonimia en que la cosa asociada es un nombre propio. Hay una diferencia básica entre estos tres últimos y el desplazamiento calificativo. Los tres se entienden por la lógica y la tradición y el desplazamiento sólo dentro de la lógica del poema. Nosotros entendemos en seguida la relación entre la uva y la borrachera, pero sólo entendemos la frase « barrios entornados » a través de la sensibilidad poética de Juan Ramón Jiménez.

Eco *f-s* Echo or Reminiscence: Se recuerda indirectamente un pasaje de otra obra literaria. El eco puede ser consciente o inconsciente por parte del autor. Antonio Machado imita abiertamente el estilo del poeta a quien dedica su poema «A Juan Ramón Jiménez».

> Era una noche del mes
> de mayo, azul y serena.
> Sobre el agudo ciprés
> brillaba la luna llena,
>   iluminando la fuente   5
> en donde el agua surtía
> sollozando intermitente.
> Sólo la fuente se oía.
> (PN-2, 176)

Otro eco menos evidente pero quizá también consciente es esta estrofa de la «Noche serena» de Fray Luis de León:

> El hombre está entregado
> al sueño, de su suerte no cuidando,
> y con paso callado
> el cielo, vueltas dando,
> las horas del vivir le va hurtando.   5
> (delR-1, 390) (P-1, 59)

Fray Luis parece acordarse de la idea y hasta de las palabras de las « Coplas » de Jorge Manrique, que comienzan así:

> Recuerde el alma dormida,
> avive el seso y despierte
>   contemplando
> cómo se pasa la vida,
> cómo se viene la muerte   5
>   tan callando.
> (B, 89) (delR-1, 131) (P-1, 34)

Encabalgamiento *f* Enjambement: Si un verso poético no corresponde a la estructura sintáctica de la frase, o de un miembro de la
frase, y si el verso se enlaza, sin pausa, con el verso siguiente, se dice
que los dos versos están encabalgados. El encabalgamiento es más
frecuente en la poesía moderna, pero también se da en la poesía
antigua; los tercetos encabalgados del « Soneto V » del Marqués de
Santillana lo ejemplifican:

> No lloren la tu muerte, maguer sea
> en edad tierna y tiempo triunfante;
> mas la mi triste vida, que desea
>   ir donde fueres, como fiel amante
> y conseguirte, dulce Idea mía,   5
> y mi dolor acerbo e incesante.
> (B, 87)

Epíteto *s* Epithet: Palabra o frase que se agrega a un nombre para
calificarlo. Es frecuente en la literatura épica, donde también se
emplean solos. Citamos varios ejemplos del *Cantar de Mío Cid*.

> ¡Ah, Campeador,   en buena ceñisteis espada!
> (B, 16) (delR-1, 5)

> Mío Cid Ruy Díaz,   el que en buena ciñó espada.
> (B, 17) (delR-1, 6)

> Martín Antolínez,   el burgalés cumplido.
> (B, 17)

> ¡Ah, Campeador,   en buena hora nacido!
> (B, 17)

Estos epítetos y otros se encuentran en todo el poema.

Eufemismo *s* Euphemism: En su origen el término se debe a la
novela inglesa de John Lyly, *Euphues* (1578). Se entendía por estilo
eufemista una prosa artificial en extremo, muy cuidada, con los más
rebuscados recursos de la retórica (entre ellos la aliteración). Del
afán por no decir las cosas directamente viene la aceptación
moderna de la palabra: modo de expresar con decoro algo que de

otra manera incomoda. Así son los eufemismos convencionales ≪ pardiez ≫ y ≪ voto a tal ≫, que se han empleado para evitar el nombre de Dios. Así es también el eufemismo original que emplea García Lorca en ≪ La casada infiel ≫ para aludir decorosamente al acto sexual:

> Aquella noche corrí
> el mejor de los caminos,
> montado en potro de nácar
> sin bridas y sin estribos.
> (*Obras completas*, Aguilar, 1962, p. 362.)

Hipérbaton *f* Hyperbaton: Alteración del orden normal de las palabras dentro de una frase simple o dentro de un miembro de la frase. Es frecuente (y desconcertante para el estudiante poco acostumbrado) el hipérbaton en el verso. En cada ejemplo las palabras subrayadas suelen ir contiguas.

> Eso no. Yo me conformo
> con mi estado, y, pues *me es*
> guardar la vida *forzoso*,
> con la ballesta me voy.
> (Lope de Vega; B, 291; delR-1, 516)

> Bien a un *villano* conviene   5
> *rico* aquesa vanidad.
> (Pedro Calderón de la Barca; P-1, 145)

> *Estos*, Fabio ¡ay dolor! que ves ahora
> *campos de soledad*, mustio callado.
> (Rodrigo Caro; delR-1, 638)

> Mírame aquí a tus pies; aquí te imploro
> *que del seno* me arranques *de la dicha*.   10
> (Antonio García Gutiérrez; delR-2, 213; PN-1, 138)

> ¿*De* aquellas magas fantásticas,
> de aquellos bravos guerreros
> y gentiles caballeros
> la *historia*, no es ilusión?
> (José Zorrilla; PN-1, 174)

Hipérbole *s* Hyperbole: Exageración intencionada.

> Cuyas ovejas al cantar sabroso
> estaban muy atentas, los amores
> de pacer olvidadas, escuchando.
> (Garcilaso de la Vega; B, 139; delR-1, 259; P-1, 53)

No es muy probable que las ovejas se olvidaran de comer, por «sabroso» que fuera el canto.

CALISTO: Comienzo por los cabellos. ¿Ves tú las madejas del oro delgado que hilan en Arabia? Más lindos son y no resplandecen menos. Su longura, hasta el posterior asiento de sus pies; después crinados y atados con la delgada cuerda, como ella se los pone, no ha más menester para convertir los   5
hombres en piedras. (*Celestina*; delR-1, 210-1; P-1, 69)

La pasión de Calisto lo hace describir en términos hiperbólicos la belleza de su amada Melibea.

Imagen *s* Image: Técnicamente, es la representación visual de un objeto en la retina del ojo, en la película de una cámara, etc. En sentido más amplio se emplea para denominar cualquier referencia literaria imaginativa que transmita una sensación concreta. La imagen puede tomar varias formas: metáfora, símil, símbolo, etc.

Ironía *s* Irony: Se suele distinguir entre ironía dramática e ironía retórica. Se habla de ironía dramática para denominar una situación que resulta contraria a la que fuera de esperarse. En el *Cantar de Mío Cid* es irónico que el que más elocuentemente habla en defensa del Cid sea Pedro Bermúdez, el más callado. (B, 40) (delR-1, 13)

También se habla de ironía dramática si las palabras de un personaje tienen cierto sentido para algunos oyentes y otro sentido para el público o para otros oyentes. Es el caso de Melibea en la *Celestina* cuando comienza a acceder a los deseos de la Celestina. La Celestina y nosotros estamos enterados de que la inocente compasión de Melibea la llevará al dolor y a la muerte.

Que yo soy dichosa si de mi palabra hay necesidad para salud de algún cristiano. Porque hacer beneficio es semejar a Dios, y el que le da le recibe, cuando a persona digna de él le hace. (B, 121) (P-1, 77)

Se habla de ironía retórica si el sentido intencionado de las palabras es, a todas luces, distinto o contrario a su sentido aceptado. (La ironía retórica suele ir acompañada de un gesto, una entonación, o una risa especial.) Así en *La casa de Bernarda Alba* de García Lorca, al estar hablando de un ruido en el corral la noche anterior, Martirio habla irónicamente diciendo que fue «una mulilla sin desbravar». (PN-2, 276) Todos sospechamos, Martirio incluso, que fue Adela la «mulilla».

Juego de palabras *s* Play on words: Véase concepto.

Metáfora *s* Metaphor: Comparación tácita en la cual el atributo de un término de la comparación se aplica al otro término. En su forma más accesible la metáfora es un símil sin la comparación explícita «como», «cual», «parece», etc. Algunas metáforas son ya convenciones aceptadas por todos, como ésta que tiene su origen en la Biblia:

> Y en *este triste valle*, donde agora
> me entristezco y me canso en el reposo,
> estuve ya contento y descansado.
> (Garcilaso de la Vega; B, 142; delR-1, 262; P-1, 55)

Aquí la comparación es abstracta; para el poeta este mundo es *como* un triste valle. Más a menudo la comparación es sensual, como en los primeros versos de este soneto de Góngora.

> La dulce boca que a gustar convida
> un humor entre perlas destilado, . . .
> (delR-1, 623)

Aquí los dientes son blancos *como* las perlas, y el beso húmedo se compara con un humor, fluido vital, según la medicina antigua. Las metáforas modernas suelen ser más atrevidas y menos accesibles, como en estos versos del romance «Prendimiento de Antoñito el Camborio en el camino de Sevilla» de García Lorca.

> El día se va despacio,
> la tarde colgada a un hombro,
> dando una larga torera
> sobre el mar y los arroyos.
> (PN-2, 249)

Aquí las sombras del atardecer son para Lorca *como* una capa colgada al hombro de un torero y estas mismas sombras que van pasando lenta y majestuosamente sobre el mar y los arroyos son *como* una larga torera, pase elegante y peligroso de los toreros.
Metonimia *s* Metonimia: Nombramiento de una cosa o persona por algo asociado con ellas.

> Antonio Torres Heredia,
> hijo y nieto de Camborios,
> viene sin vara de mimbre
> entre los cinco tricornios.
> (PN-2, 249)

En este ejemplo, el tricornio, sombrero que llevan los guardias civiles, es algo popularmente asociado con ellos.

Muletilla *s* Speech crutch or Speech tag: La muletilla es empleada y abusada por la persona que no sabe expresarse exactamente. Aquí tienen dos predilectas de Torquemada, *cuidado* y *ñales* por puñales.

> Soy de confianza, y conmigo ¡cuidado!, con Francisco Torquemada no se gastan cumplidos . . . Y ¿qué tal? ¿Usted buena? ¿Toda la . . . (Benito Pérez Galdós; PN-1, 279)

> Pues ésta – pensó el avaro, de admiración en admiración – también se explica, ¡ñales! ¡Qué par de picos de oro! (Benito Pérez Galdós; PN-1, 280)   5

Onomatopeya *f* Onomatopeia: Imitación o sugestión de un ruido por medio de sonidos pronunciados. Ejemplos: tic-tac, ronrón, corroclocló. La onomatopeya era muy popular entre los poetas modernistas.

Oxímoro (u oxímora) *s* Oxymoron: Dos términos en contradicción, expresados como una sola idea. La siguiente estrofa de la «LLama de amor viva» de San Juan de la Cruz tiene varios ejemplos.

> ¡Oh cauterio suave!
> ¡Oh regalada llaga!
> ¡Oh mano blanda! ¡Oh toque delicado,
> que a eterna vida sabe,
> y toda deuda paga!   5
> Matando, muerte en vida la has trocado.
> (B, 158)

Un cauterio o una quemadura no puede ser suave. Una llaga no puede ser regalada, no es de desear. Y en el último verso citado, la «llama de amor», si es que mata, no puede vivificar. El poeta emplea el oxímoro, entonces, para sugerir la fuerza terrible, irresistible, del amor divino.

Paradoja *s* Paradox: Una contradicción aparente que encubre una verdad profunda. Las paradojas más conocidas son las de Jesucristo, como «El que hallare su vida, la perderá; y el que perdiere su vida por causa de mí, la hallará» («S. Mateo». 10:39). En los tiempos modernos es Unamuno quien se ha destacado por sus paradojas. «Toda supuesta restauración del *pasado* es hacer *porvenir*.» (delR-2, 487) (PN-2, 21) «Mi religión es *buscar* la verdad en la vida y la vida en la verdad, aun a sabiendas de que *no he de encontrarla* mientras viva.» (delR-2, 482) (P-2, 527)

Perífrasis *s* Periphrasis (También circunloquio y circumlocution): Se expresa una idea por medio de rodeo de palabras, a veces extenso.

Los dos cuartetos de este soneto de Góngora constituyen una perífrasis típicamente barroca para decir, « ¡Cuidado con los besos; no se dejen enamorar! »

> La dulce boca que a gustar convida
> un humor entre perlas destilado,
> y a no envidiar aquel licor sagrado
> que a Júpiter ministra el garzón de Ida,
>   amantes, no toquéis si queréis vida;   5
> porque entre un labio y otro colorado
> amor está, de su veneno armado,
> cual entre flor y flor sierpe escondida.
> (delR-1, 623)

Personificación *s* **Personification** (También prosopopeya y prosopopoeia): Se atribuyen cualidades humanas a los objetos, a los animales y a las abstracciones.

> Llorad, naves del mar; que es destruída
> vuestra vana soberbia y pensamiento.
> (Fernando de Herrera; P-1, 57)

> Se le vió caminar solo con Ella,
> sin miedo a su guadaña.

> . . . .
> Hablaba Federico,   5
> requebrando a la muerte. Ella escuchaba.
> (Antonio Machado: PN-2, 179)

Pleonasmo *s* **Pleonasm**: Redundancia innecesaria para el sentido aunque puede tener importancia para la expresión. A veces toma la forma de una simple acumulación de sinónimos. Tanto Sancho como don Quijote suelen hablar con pleonasmo, o repetición superflua. Don Quijote, pensando en un posible encuentro, con un gigante, se dice, «Si yo . . . le derribo de un encuentro, o le parto por mitad del cuerpo, o, finalmente, le venzo y le rindo, ¿no será bien tener a quien enviarle presentado? » (B, 214) (delR-1, 416) (P-1, 204) Sancho, cuando no se contagia de los pleonasmos de su amo, suele citar pleonásticamente dos o más refranes de un solo sentido. Un caso típico se da en la segunda parte cuando se califica de tan loco como su amo:

> . . . Si es verdadero el refrán que dice: «Dime con quién andas, te diré quién eres », y el otro de «No con quién naces, sino con quién paces ». (B, 240) (P-1, 218)

También Cervantes mismo emplea el pleonasmo para fines cómicos, como en el título del capítulo XVII, segunda parte: «Donde se declara el último punto y extremo adonde llegó y pudo llegar el inaudito ánimo de don Quijote con la felicemente acabada aventura de los leones ». (delR-1, 436)

Quiasma *f* Chiasmus: Inversión intencionada del orden de palabras en un miembro de una expresión paralela.

> Concededme, dueño mío,
> liciencia para que salga
> al rebato en vuestro nombre,
> y en vuestro nombre combata.
> (Luis de Góngora; B, 252; delR-1, 619)

Más modernamente Rosalía de Castro termina un poema con un quiasma:

> Astros y fuentes y flores, no murmuréis de mis sueños:
> sin ellos, ¿cómo admiraros, ni cómo vivir sin ellos?
> (delR-2, 258) (P-2, 382)

Reminiscencia *f-s* Reminiscence Véase eco.

Retruécano *f-s* Antithetical pun: Juego de palabras en el cual se invierte el orden de los elementos para hacer resaltar una antítesis. Un retruécano cómico es, «No es lo mismo un león en la cama que un camaleón.» Un retruécano de intención seria se encuentra en una epístola satírica y censoria de Quevedo:

> ¿No ha de haber un espíritu valiente?
> ¿Siempre se ha de sentir lo que se dice?
> ¿Nunca se ha de decir lo que se siente?
> (delR-1, 654)

Símbolo *s* Symbol: Imagen u objeto que representa otra cosa, por lo general una abstracción. El símbolo puede ser tradicional como el cisne, símbolo de la belleza y de la gracia, o la oveja perdida, símbolo del hombre pecador. También puede ser original, como en estos versos de una letrilla de Góngora:

> Caído se le ha un clavel
> hoy a la Aurora del seno.
> ¡Qué glorioso está el heno,
> porque ha caído sobre él!
> (delR-1, 614)

Aquí el clavel es símbolo del Niño Jesús y la Aurora es símbolo del cielo.

En *La casa de Bernarda Alba* García Lorca emplea el caballo garañón como símbolo de la fuerza sensual atribuida a Pepe el Romano. Al oír por segunda vez el golpe de sus coces contra la pared, dice Bernarda a los gañanes, «¿Hay que decir las cosas dos veces? ¡Echadlo que se revuelque en los montones de paja! ... Pues encerrad las potras en la cuadra, pero dejadlo libre no sea que nos eche abajo las paredes». (PN-2, 285) Más tarde Adela sugiere simbólicamente la atracción total que ejerce Pepe sobre ella: «El caballo garañón estaba en el centro del corral ¡blanco! doble de grande, llenando todo lo oscuro». (PN-2, 288)

Símil *s* Simile: Comparación explícita, generalmente por medio de las palabras «como», «cual», o «parece». En los siguientes versos Rosalía de Castro se compara con un niño al decir que,

> ... cual niño que reposa
> en el regazo materno,
> después de llorar, tranquila
> tras la expiación, espero
> que allá donde Dios habita   5
> he de proseguir viviendo.
> (PN-1, 233)

Un símil de mayor extensión como este puede denominarse símil épico. Un símil más sencillo es la bien conocida comparación que encontramos en el *Cid*.

> Llorando de los ojos,   como nunca visteis tal,
> como la uña de la carne   es el dolor al separar.
> (B, 20) (delR-1, 7)

Sinécdoque *s* Synecdoche: Se nombra una parte por el todo. Con menos frecuencia se nombra el todo por una parte. Así Fray Luis de León alude a un barco (hecho de madera o leño) al decir en «La vida retirada»:

> Ténganse su tesoro
> los que de un falso leño se confían.
> (delR-1, 388) (P-1, 59)

Sinestesia *s* Synesthesia: Mezcla incongrua de dos o más sentidos, como el olfato y la vista. Hay algunos casos convencionales de sinestesia como el «dulce lamentar» y el «cantar sabroso» de

Garcilaso de la Vega (B, 139) (delR-1, 259) (P-1, 53). Hay también abundancia de casos originales, sobre todo en la literatura moderna.

Vino la noche clara
turbia de plata mala,
con peladas montañas
bajo la *brisa parda*.
(Federico García Lorca; PN-2, 251)

. . . y en una *algarabía ardiente* y loca,
ladras a los fantasmas vanos.
(Juan Ramón Jiménez; P-2, 568-9)

Prontuario

Manuales generales

BRENAN, GERALD. *The Literature of the Spanish People*. New York: Meridian Books, 1957, 495 págs.

   Personal y algo desigual a veces pero inteligente y sensible. Producto de varios años de «convivencia» y de lecturas. Bibliografía comentada para el que quiera consultar los textos más accesibles. Índice alfabético.

CHANDLER, RICHARD E., Y SCHWARTZ, KESSEL. *A New History of Spanish Literature*. Baton Rouge: Louisiana State University Press, 1961, 696 págs.

   Su innovación mayor es la organización − según géneros. Dentro de cada género el estudio es cronológico según figuras o escuelas más destacadas. Útil e interesante en general; algo menos satisfactorio al estudiar a autores que se destacan en varios géneros. Hay tres apéndices: una lista de « First Things in Spanish Literature», otra de «Commonplaces of Spanish Literature» y una cronología general. Bibliografía amplia e índice alfabético extenso.

Diccionario de literatura española. Germán Bleiberg y Julián Marías, directores. Tercera edición. Madrid: Revista de Occidente, S.A., 1953, 1,036 págs.

Diccionario enciclopédico con artículos firmados sobre autores, movimientos, términos técnicos, etc. El índice de títulos mencionados en el texto es de 94 páginas. Hay un extenso índice cronológico en dos columnas: historia política e historia cultural. Quizá la obra de más autoridad entre los diccionarios literarios.

GARCÍA LÓPEZ, J. *Historia de la literatura española*. Octava edición. Barcelona: Editorial Vicens-Vives, 1964, 710 págs.

Organización cronológica por períodos. Notable por el número de fotos y de dibujos. Bibliografías para cada período y bibliografía general. Índice onomástico.

HURTADO Y J. de la SERNA, JUAN, Y GONZÁLEZ-PALENCIA, ÁNGEL. *Historia de la literatura española*. Sexta edición. Madrid: Saeta, 1949, 1,102 págs.

Enciclopédica. Compendio asombroso de datos. Organización cronológica con artículos numerados (casi mil) sobre autores individuales por la mayor parte. Para cada época y cada género hay un esquema clasificado de autores. Hay también una lista de sucesos históricos notables. Bibliografía e índice alfabético extensos.

MÉRIMÉE, ERNEST, Y MORLEY, S. GRISWOLD. *A History of Spanish Literature*. New York: Henry Holt and Co., 1930, 635 págs.

Agotado y anticuado en parte, este manual es sin embargo bastante útil. Resúmenes breves de historia y arte antes de cada sección, referencias breves a otras literaturas. Hay notas bibliográficas al pie de la página que señalan ediciones, collecciones y estudios de más autoridad (en 1930). Bibliografía e índice alfabético buenos.

NORTHUP, GEORGE TYLER. *An Introduction to Spanish Literature*. Tercera edición, puesta al día por Nicholson B. Adams. Chicago: The University of Chicago Press, 1960, 532 págs.

Esta obra, publicada en 1925 y 1936, ha sido corregida, revisada y puesta al día. Bibliografías amplias e índice alfabético extenso.

RÍO, ANGEL del. *Historia de la literatura española.* Edición revisada. New York: Holt, Rhinehart and Winston, 1963. Dos tomos, 488 y 446 págs.

Organización cronológica por períodos y por temas o autores principales dentro de cada período. Apéndices sobre las literaturas catalana y gallega. Bibliografías extensas. Índice-glosario.

VALBUENA PRAT, ÁNGEL. *Historia de la literatura española.* Sexta edición. Barcelona: Editorial Gustavo Gili, S. A., 1960. Tres tomos, 817, 687, y 962 págs.

Quizá la más extensa de las historias modernas. Sumamente útil, no tanto por sus datos, como en el caso de la obra de Hurtado y Palencia, sino por sus discusiones críticas de obras, estilos y autores representativos e importantes. Notas bibliográficas al pie de la página poco completas y no puestas al día. Índices alfabéticos de obras y de nombres.

Manuales generales clasificados por épocas
Edad Media

MILLARES CARLO, AGUSTÍN. *Literatura española hasta fines del siglo XV.* México: Antigua Librería Robredo, 1950, 352 págs.

Bibliografía. Índice alfabético.

Siglo de Oro

PFANDL, LUDWIG. *Historia de la literatura nacional española en la edad de oro.* Segunda edición. Tr. Jorge Rubió Balaguer. Barcelona: Editorial Gustavo Gili, S. A., 1952, 707 págs.

Apéndice bibliográfico al día hasta 1933. Índices alfabéticos de términos, de obras y de nombres.

Siglos XVIII y XIX

BARJA, CÉSAR. *Libros y autores modernos.* New York: Las Américas Publishing Co., 1964, 448 págs.

Reimpresión de la edición de 1933. Bibliografía e índice alfabético. No ha sido puesta al día.

PEERS, EDGAR ALLISON. *A History of the Romantic Movement in Spain*. Cambridge (Inglaterra): The University Press, 1940, 470 págs.

Índice alfabético. 13 apéndices.

Siglo XX

CHABÁS, JUAN. *Literatura española contemporánea: 1898-1950*. La Habana: Cultural, 1952, 702 págs.

MARRA-LÓPEZ, JOSÉ R. *Narrativa española fuera de España (1939-1961)*. Madrid: Guadarrama, 1963, 539 págs.

Único estudio extenso que abarca la producción de los escritores emigrados. Se proyectan estudios semejantes sobre la lírica y el drama.

NORA, EUGENIO G. de. *La novela española contemporánea (1898-1927)*. Madrid: Gredos, 1958, 570 págs. *La novela española contemporánea* (1927-1960), Madrid: Gredos, 1962, dos tomos, 418 y 514 págs.

Indispensable. Lista de obras de cada autor. Bibliografía general. Índice alfabético de nombres.

TORRENTE BALLESTER, GONZALO. *Panorama de la literatura española contemporánea*. Tercera edición. Madrid: Guadarrama, 1965, 713 págs.

Fotografías. Antología de textos. Apéndice bibliográfico. Índice alfabético.

Revistas de interés especial

Bulletin Hispanique. Francia. Trimestral. Estudios sobre historia general, historia de ideas, literatura y lingüística. Reseñas, revista de revistas y bibliografía de artículos.

Bulletin of Hispanic Studies. Inglaterra. Trimestral. Estudios, notas, reseñas y revista de revistas.

Cuadernos Americanos. México. Bimestral. Artículos sobre política internacional, filosofía, historia, antropología, literatura, etc. Reseñas. Uno o dos artículos sobre literatura española en cada número.

Cuadernos Hispanoamericanos. España. Mensual. De orientación cultural hispánica. Algunos artículos, notas y reseñas sobre literatura española en cada número.

Duquesne Hispanic Review. U.S.A. Cuatrimestre. Estudios y reseñas.

Hispania. U.S.A. Cinco veces al año. Revista oficial de la American Association of Teachers of Spanish and Portuguese. Artículos literarios y lingüísticos. Notas, noticias y reseñas sobre el mundo ibérico y la pedagogía. Vademecum del estudiante avanzado y del profesor serio de español.

Hispanic Review. U.S.A. Trimestral. Estudios, notas y reseñas.

Hispanófila. U.S.A. Cuatrimestre. Estudios y reseñas.

Ínsula. España. Mensual. Formato de periódico. Estudios cortos. Notas y reseñas bibliográficas y culturales.

Kentucky Romance Quarterly. U.S.A. Trimestral. Estudios sobre literaturas hispánicas y francesa principalmente. Documentos.

Nueva Revista de Filología Hispánica. México. Trimestral. Estudios, notas, reseñas, revista de revistas y bibliografía (v. sección siguiente).

Papeles de Son Armadans. España. Mensual. Publicada por Camilo José Cela. Estudios sobre literatura española moderna. Reseñas, ficción, verso y crónicas de cultura extranjera.

PMLA (Publications of the Modern Language Association of America). U.S.A. 7 veces al año. Estudios mayores sobre todas las literaturas del Occidente, algunos sobre literatura en español. Un número al año es bibliografía (v. sección siguiente), uno es directorio de socios y uno es el programa anual.

Revista de Filología Española. España. Trimestral. Estudios, notas, reseñas, revista de revistas y bibliografía (v. sección siguiente). Tendencia de limitarse a literatura y lingüística de la España de la Edad Media y del Siglo de Oro.

Revista de Literatura. España. Semestral. Estudios, notas, documentos, reseñas y bibliografía (v. sección siguiente).

Revista de Occidente (segunda época). España. Mensual. De orientación intelectual general. Algunos artículos sobre literatura española. Ficción, verso y crítica de libros.

Revista Hispánica Moderna. U.S.A. Trimestral. Estudios, notas, reseñas y documentos sobre literatura hispánica, principalmente desde el romanticismo. Bibliografía (v. sección siguiente).

Revista Iberoamericana. U.S.A. Semestral. Estudios, notas, reseñas y bibliografía. A veces hay estudios que se refieren a la literatura de la península ibérica.

Romania. Francia. Trimestral. Estudios, notas, reseñas y revista de revistas. Literatura y lingüística romances.

Romance Notes. U.S.A. Semestral. Notas breves, varias sobre literatura española.

Romance Philology. U.S.A. Trimestral. Estudios, notas, reseñas extensas y breves sobre literatura y lingüística romances, principalmente de la Edad Media.

Romanic Review. U.S.A. Trimestral. Estudios y reseñas.

Symposium. U.S.A. Trimestral. Estudios y reseñas sobre literaturas extranjeras desde la Edad Media, casi totalmente del Occidente.

La Torre. Puerto Rico. Cuatrimestre. Revista general de la Universidad de Puerto Rico. Estudios, reseñas y bibliografías (v. sección siguiente). Hay materia sobre literatura española en todos los números.

Zeitschrift für romanische Philologie. Alemania. Cuatrimestre. Estudios, notas, reseñas y revista de revistas. Lingüística histórica romance. Historia literaria francesa hasta el renacimiento. Historia de las otras literaturas romances hasta el siglo XVIII.

Bibliografías corrientes

Nueva Revista de Filología Hispánica. México. Trimestral. En relación con la bibliografía hispanoamericana publicada en la *Revista Hispánica Moderna.* Literatura, lingüística y materias afines a toda la península ibérica. Entre 3 y 4 mil ítemes en cada número.

PMLA. U.S.A. Anual. Libros y artículos sobre literaturas y lenguas modernas del Occidente. Indispensable. Había 24.126 ítemes en la bibliografía sobre 1968, 664 sobre literatura de España, 403 sobre literatura de Hispanoamérica. Índice a computadora de autores.

Revista de Filología Española. España. Trimestral. Tendencia de limitarse a las literaturas, a la filología y a la lingüística de la Edad Media y del Siglo de Oro. Mezcla reseñas breves de libros de gramática para principiantes norteamericanos e investigaciones científicas serias de cuestiones gramaticales espinosas. Entre 500 y 1.000 ítemes cada año sobre literatura y lingüística.

Revista de Literatura. España. Semestral. Literatura española de todas las épocas. Bien organizada. Entre 1.000 y 1.800 ítemes en cada número.

Revista Hispánica Moderna. U.S.A. Trimestral. En relación con la bibliografía publicada en la *Nueva Revista de Filología Hispánica.* Literaturas, lenguas y materias afines de Hispanoamérica. Entre 600 y 800 ítemes en cada número.

La Torre. Puerto Rico. Cuatrimestre. Bibliografías de libros solamente, argentinos, españoles, mexicanos y puertorriqueños. Varias materias desde Administración de empresas hasta Zoología.

Twentieth Century Literature. U.S.A. Trimestral. Bibliografía comentada de artículos solamente, sobre escritores principales del siglo XX, especialmente del Occidente. Unos 10 ítemes sobre literatura española en cada número.

Vocabulario

aborrecer   to abhor, hate
ábrego   *m*. south wind,
   southwest wind
aceituna   *f*. olive
acequia   *f*. water trench
acerbo   severe
acontecer   to happen
acontecimiento   *m*. happening,
   event
acre   sour, pungent
acurrucado   huddled up
adarga   *f*. leather shield
adelantado   *m. name formerly
   given to a governor of a
   province*
adminículo   *m*. aid, support

adorno   *m*. adornment
adumbración   *f*. foreshadowing
afinar   to tune; to polish
afligido   afflicted
afrenta   *f*. insult
agasajar   to regale, entertain
aguaducho   *m. place for selling
   water*
airoso   graceful
ajeno   foreign
alacena   *f*. cupboard
alcurnia   *f* heritage, family tree
alejado   distant, removed
alforja   *f*. saddle bag
algarabía   *f*. Arabic; (*coll*.)
   gabble, jargon

alquería   *f.* grange, farmhouse
alquitara   *f.* still
alto   *m.* hill
ambiente   *m.* atmosphere
amenazador   threatening
amo   *m.* master
amodorrado   drowsy
anacrónico   anachronistic
andrajo   *m.* rag
anhelar   to desire anxiously
añadir   to add
añico   *m.* fragment, small piece
apesadumbrar   to vex; to sadden
aplastar   to flatten
apoyo   *m.* support
aprieto   *m.* difficulty
aprovecharse de   to take advantage of, make use of
arábigo   Arabic
arena   *f.* sand
argüir   to argue
arraigado   rooted
arreglo   *m.* arrangement
arrojarse   to rush; to throw oneself
arruga   *f.* wrinkle
asaz   enough, aplenty
asomarse   to look out from, look in upon
astillero   *m. rack for lances*
astroso   wretched
atascar   to stop up, clog
atesorar   to treasure up, hoard
atónito   astonished, amazed
atravesar   to cross
aumentar   to increase
axiológico   relating to values
azahar   *m.* orange, lemon *or* citron-flower
azoramiento   *m.* trepidation

badajeo   *m.* clapping of bells
bahía   *f.* bay

balido   *m.* bleat, bleating
barandilla   *f.* railing
barraca   *f.* rustic cabin, cottage
baza: meter– en   to butt in
beodo   drunk
bergantín   *m.* brigantine
bienquisto   well-liked
bigardón   *m.* bruiser, lout
bigote   *m.* mustache
bizcocho   *m.* biscuit; cake
blanquear   to bleach, whiten
borboteo   *m.* bubbling
borrascoso   stormy
bostezo   *m.* yawn
botín   *m.* booty
bóveda   *f.* vault, arch
brindar   to make a toast; to offer
brioso   spirited
broma   *f.* joke
bruma   *f.* fog, brume
buscar   to seek
búsqueda   *f.* search

cabo   *m.* end; **llevar a —:** to finish, carry out
calzas   *f. pl.* trousers
canalla   *m.* scoundrel
canicie   *f.* whiteness (*of hair*)
canónigo   *m.* canon, prebendary
cansancio   *m.* fatigue
cañaveral   *m.* field of reeds or canes
cañería   *f.* pipes
capa   *f.* cape
cárcel   *f.* jail
carecer de   to lack
caricia   *f.* caress
caridad   *f.* charity
carrera   *f.* career
casta   *f.* breed, lineage
castigar   to punish
casualidad   *f.* chance, accident
catedrático   *m.* professor

cauterio   *m.* cauterization; a burn with a hot iron
cayado   *m.* shepherd's crook
ceja   *f.* eyebrow
cencerrada   *f.* charivari
cendal   *m. light, thin stuff made of thread*
ceniciento   ash-colored
cepa   *f.* vinestalk
cerebro   *m.* brain
cereza   *f.* cherry
cerro   *m.* flax, hemp; hill
cesto   *m.* basket
clavado   nailed
cloquear   to cluck
cobardía   *f.* cowardice
cofre   *m.* trunk, coffer
cogote   *m.* back of the neck
cojear   to limp
cómplice   *m.* accomplice
condiscípulo   *m.* classmate
conejo   *m.* rabbit
consejo   *m.* advice
contenido   *m.* contents
coqueta   *f.* flirt
cordillera   *f.* mountain range
cortejar   to court
corvo   curved
cotidiano   daily
coyuntura   *f.* joint
crepitar   to crackle
cuba   *f.* tub; pail
cuchara   *f.* spoon
cuello   *m.* collar
cuento   *m.* story, short story; — **de hadas:** fairy tale
cuervo   *m.* crow
cuesta   *f.* hill
culpa   *f.* guilt
cumplido   *m.* compliment

chaleco   *m.* vest, waistcoat
chiste   *m.* joke

dar   to give; — **a:** to look out upon
demente   demented, insane
denegrido   blackened, darkened
dengue   *m.* fastidiousness
deprimente   depressing
derribar   to knock down
derrota   *f.* defeat
desaforado   outrageous
desarrollo   *m.* development
desdicha   *f.* unhappiness
desengañar   to undeceive, disabuse
desmoronamiento   *m.* crumbling, decay
despavorido   horrified, aghast
despernarse   to risk one's legs; to tire oneself
despojos   *m. pl.* spoils
destreza   *f.* dexterity
dibujar   to draw
dieciochesco   of the 18th century
difunta   *f.* dead woman
disco   *m.* phonograph record
disfrazado   disguised
disparate   *m.* nonsense, absurdity
docto   erudite
dramaturgo   *m.* dramatist

ebrio   drunk
efímero   ephemeral
eje   *m.* axis
ejecutoria   *f.* letters patent of nobility
ejemplo   *m.* example
embelesado   charmed, fascinated
emborronar   to scribble
embozo   *m.* muffler; disguise
empellón: a empellones   roughly
emprender   to undertake

enardecido   excited

encarar   to face

encorvadito   *dim. of*

encorvado: hunchback, bent over

enfadarse   to become angry

enguantado   gloved

enjertar   graft

enjuto   lean, sparing

enojarse   to become angry

ensancharse   to expand

ensayo   *m.* essay

enterarse   to find out, become aware of

entumecido   stiff

envidia   *f.* envy

equívoco   *m.* error, mistake

erizado   covered with bristles

escaleras   *f. pl.* stairs

escalón   *m.* step

escaño   *m.* bench

escarcha   *f.* frost

escarmentado   tutored by experience

escoger   to choose

escopeta   *f.* shotgun

escudero   *m.* page, squire

esculpir   to sculpt

escurrirse   to trickle away

estación   *f.* season

estafado   tricked, defrauded

estafermo   *m.* indolent, idle fellow

estercolero   *m.* dunghill

estrépito   *m.* loud noise, din

etapa   *f.* stage, step

etéreo   ethereal

explotado   exploited

faceta   *f.* facet

fangoso   muddy

fardo   *m.* bundle, burden

fecha   *f.* date

fijar   to fix

flaco   skinny

fonda   *f.* inn

forja   *f.* forging

fracaso   *m.* failure

frotar   to rub

fuente   *f.* source, fountain

fugaz   fleeting

fulgurar   to flash

fúnebre   mournful, funereal

galán   *m.* wooer, lover, ladies' man

galgo   *m.* greyhound

gallardo   graceful, elegant, gentile

ganapán   *m.* a rude, coarse man

garañón   *m.* stallion

gastar   to use up, waste

gesto   *m.* gesture

golpe   *m.* blow

gorra   *f.* cap

gota   *f.* drop

gracejo   *m.* graceful, witty way of speaking

graznar   to caw

grey   *f.* flock, congregation

grillo   *m.* cricket

grosero   gross, coarse

gruta   *f.* grotto

guante   *m.* glove

guardilla   *f.* attic

guedeja   *f.* lock of hair

gula   *f.* gluttony

gusto   *m.* the sense of taste

halago   *m.* flattery

halcón   *m.* falcon

haraposo   ragged, tattered

haya   *f.* beech-tree

hazaña   *f.* feat

hecho   *m.* fact

heno   *m.* hay

heredar   to inherit

herejía *f.* heresy
herencia *f.* inheritance
hidalguía *f.* nobility
hidalguillo *m.dim. of* hidalgo,
   used pejoratively
hierático hierarchical,
   sacerdotal
higuera *f.* fig tree
hondura *f.* profundity
hortaliza *f.* garden products
hueco hollow
huésped *m.* guest
hueste *f.* host of people
hundirse to sink (into)

inadvertido unnoticed
inagotable unending
indicio *m.* indication
indumentaria *f.* clothing
inundación *f.* flood
inverosímil not true to reality

jaca *f.* nag, pony
jaco *m.* nag
jadeante panting
jaula *f.* cage
juglar *m.* minstrel

lacayo *m.* lackey, footman
lacio dried up
ladrido *m.* bark, barking
lamer to lick
lealtad *f.* loyalty
lejano distant
levita *f.* frock coat
léxico *m.* selection of words
ligar to tie, connect
linaje *m.* lineage
linajudo of good family *or*
   descent
locura *f.* insanity
loriga *f.* a kind of armor
lúbrico slippery; lewd

llaga *f.* sore, wound
llamada (*before a noun*):
   so-called

madeja *f.* skein
majadería *f.* absurdity
majo, maja "beau" *or* "belle",
   man-about-town
maleza *f.* thicket
mancebo *m.* young man
manejar to handle
manicomio *m.* insane asylum
mármol *m.* marble
matiz *m.* shade of color
mayoría *f.* majority
mechones *m. pl.* locks
medroso fearful
mejilla *f.* cheek
mejor better; a lo —: probably
mendigo *m.* beggar
mengano *m.* so-and-so
mentiroso liar
merecer to deserve
meter to put into
miembro *m.* member
misericordia *f.* mercy, pity
modales *m.pl.* manners,
   customs
molinero *m.* miller, grinder
molino de viento *m.* windmill
moraleja *f.* moral (*of a story,
   poem, etc.*)
morosidad *f.* slowness
móvil *m.* motive
mozo *m.* young man
mugido *m.* mooing of a cow
mujeriego woman-chaser
mustio parched, withered

nardo *m.* spikenard; common
   tuberose
nexo *m.* connection
nivel *m.* level

oído   *m.* the sense of hearing
ojal   *m.* buttonhole
olfato   *m.* the sense of smell
olmo   *m.* elm tree
ondulante   waving, undulating
onírico   pertaining to dreams
oración   *f.* sentence
oveja   *f.* sheep

palo   *m.* stick; blow with a
    stick
panadería   *f.* bakery
paño   *m.* cloth
papel   *m.* paper; role
paramento   *m.* ornament
parentesco   *m.* relationship
párrafo   *m.* paragraph
parroquiano   *m.* customer
pastora   *f.* shepherdess
patear   to kick
patillas   *f. pl.* sideburns
pavor   *m.* fear
pegado   stuck on
peje   *m.* fish
peñasco   *m.* large rock
perezoso   lazy
perfil   *m.* profile
pergamino   *m.* parchment
perspectivismo   *m.* the
    relationship among points of
    view
pestañas   *f. pl.* eyelashes
pichón   *m.* pigeon
pie con bola: no dar —: not to
    be able to do anything right
pisar   to step on, walk on
pitar   to whistle
pizarra   *f.* blackboard
placentero   pleasing
plateado   silvery
polvoriento   dusty
pordiosero   *m.* beggar
preceptora   *f.* schoolmistress
prescindir de   to do without

presenciar   to witness
preso   captive, prisoner
prestamista   *m.* moneylender
presumido   arrogant, "stuck-up"
propósito   *m.* purpose
pulular   to swarm
punto de vista   *m.* point of
    view
puño   *m.* cuff; fist

quincallería   *f.* hardware store

radicar   to reside
ráfaga   *f.* gust
rasgo   *m.* trait
realizado   achieved, brought
    about
rebaño   *m.* flock
rebosar   to overflow
rebramar   to bellow repeatedly
recalcar   to cram, pack, press
red   *f.* net, network
refunfuñar   to mutter, grumble
regalo   *m.* gift
regazo   *m.* lap
reja   *f.* grating
relámpago   *m.* lightning
relincho   *m.* whinny of a horse
rematado   finished off
repentino   sudden
replicar   to reply
requetefino   very fine;
    exaggeratedly fine
respaldo   *m.* back, back part
retama   *f.* (*bot.*) broom
ribazo   *m.* hillock
rielar   to shimmer, glimmer
rincón   *m.* corner
rinconcillo   *m. dim. of* **rincón:**
    little corner
ringla   *f.* series
riqueza   *f.* wealth
risco   *m.* steep rock
rizado   curly

ronquido   *m.* snort, snorting
ronzal   *m.* halter
rueda   *f.* wheel

sabio   *m.* wise man
sacerdote   *m.* priest
salero   *m.* wit, gracefulness
salto   *m.* jump
saludar   to greet; —se: to greet
  each other
sayón   *m.* executioner;
  fierce-looking man
seco   dry
según   according to
sereno   *m.* watchman
seres   *m. pl.* beings
servilleta   *f.* napkin
sesos   *m. pl.* brains
sien   *f.* temple
silbo   *m.* whistle
simiente   *f.* seed
soberbia   *f.* haughtiness
sobresalir   to stand out
sobrevivir   to survive
soltura   *f.* fluency, agility,
  easiness
soto   *m.* grove, thicket
sube que te sube   climbing and
  climbing
subrayar   to underline,
  emphasize
suceso   *m.* event, happening
sudor   *m.* perspiration
sueño   *m.* dream
sutil   subtle

tacto   *m.* the sense of touch
taimado   sly, cunning
tapia   *f.* wall
teclado   *m.* keyboard

techo   *m.* roof
ternerillo   *m.* veal calf
ternura   *f.* tenderness
testigo   *m.* witness
tieso   solid, stiff, hard
tiesto   *m.* flowerpot
tiritar   to shiver with cold
tonillo   *m.* singsong,
  monotonous tone
torpe   awkward
torpeza   *f.* awkwardness
trama   *f.* plot
transigir   to compromise
trueno   *m.* thunder
tuerto   one-eyed

ulular   to howl
umbría   *f.* grove
unicidad   *f.* uniqueness
único   unique, only (*adj.*)

valones   *m. pl.* bloomers
valor   *m.* value
vara   *f.* rod
vega   *f.* plain, meadow
velado   veiled, covered
velocidad   *f.* speed, velocity
venta   *f.* inn
verdugo   *m.* executioner
verosímil   true to reality,
  probable
vértigo   *m.* dizziness
vicio   *m.* vice
vidueño   *m.* a kind of grape
  vine
vigente   prevailing
vislumbrar   to glimpse
vista   *f.* the sense of sight

zorro   *m.* fox

Índice

Autores y de obras anónimas citados o comentados en el texto